AFTERLAND
애프터랜드

CONTENTS

이후의 삶

이후의 땅,

글
임
보
람

죽음이 현실이 되는 장소들이 있다. 애도가 유예된 장소들이 있다. 과거의 시간이 현재의 시간에 흐르는 장소들이 있다. 나는 여기서 그러한 장소들을 환기하고 싶다. 비단 전쟁이나 자연 재해 뿐만 아니라 인류는 자본주의, 내셔널리즘, 자원 개발, 도시 환경과 생태 등 여러 가지 이념으로 장소의 의미를 재고하면서 상실의 장소를 탄생시킨다.

이러한 상실의 장소에서 《애프터랜드》가 탐구하는 것은 장소의 기억과 그 '사후성'이다. 《애프터랜드》는 두 개의 서로 다른 장소를 배경으로 하여 그곳에서 일어난 '사건'과 그 사건 속에서 '상실'을 겪은 사람들, 그리고 격변하는 운명의 땅이 과거로부터 현재까지 창조와 파괴의 순환 속에서 어떠한 시간을 품고 기억을 전해왔는지, 지역 리서치를 기반으로 수집한 자료를 재구성하여 창작한 이야기다.

이후의 땅

어떤 장소들은 특별한 의미로 존재한다. 그 연유는 지리적 위치나 특징보다는 그 장소가 불러일으키는 분위기, 혹은 기억과 관련한 것일 수 있다. 박경리 소설가의 한 시구는 생전에 살았던 그의 오래된 집을 이렇게 기억한다. "그 세월, 옛날의 그 집 / 나를 지켜주는 것은 / 오로지 적막 뿐이었다"[1]. 장소는 기억을 새긴다. 우리는 박경리 소설가의 옛집에서 살았던 경험도 없거니와 그 집을 본 적도 없다. 다만, 이 기억이 만들어낸 심성의 한 형태를 우리가 삼삭할 뿐이다. 우리는 그 장소가 어떠한 기억을 새기고 있는지 알기 위해 '상상적 투사'를 실천한다. "빗자루병에 걸린 대추나무 수십 그루가 / 어느 날 일시에 죽어 자빠진 그 집"[2]을 상상하니, "빈 창고같이 휑덩그레한 큰 집"[3]에 발을 들여놓은 것 같은 기분이다. 또는, 경험한 적이 없는 역사적 비극에 상상적 투사를 하기도 한다. 영화 <좋은 빛, 좋은 공기>에서 부에노스아이레스의 클럽 아틀레티코 납치·감금·고문 사건의 한 생존자는 갇혀 있던 장소에 대한 기억으로 '탁구공 소리가 들려오는 곳'이라고 증언한다. 매일같이 탁구공이 팅기는 소리가 났다는 그녀의 진술을 들으면서, 우리는 어딘지 모를 곳에 갇힌 채 죽음과 고통에 직면했던 그곳에서 들려오는 탁구공 소리가 얼마나 공포스러웠을지 상상한다. 그 상상은 우리의 경험이 부재함에도 불구하고 우리의 기억에 새겨진다.

나는 여기서 장소의 기억에 대하여 감히 포스트메모리와 역사적 비극의 트라우마에 관한 사회학적 논의를 전개하려는 것이 아니다. 그보다는 생과 사의 순환이 이루어지고 창조와 파괴가 반복되는 땅에서 포스트메모리가 갖는 시간의 지연성을 죽음의 현재성으로 환유하고, 다소 주술적인 태도에서 단지 장소가 품은 기억의 '사후성'을 사유하고자 한다. 포스트메모리라는 단어를 창조해 낸 마리안 허쉬(Marianne Hirsch)는 과거와 포스트메모리를 연결하는 것은 상상적 투사와 창조에 의한 매개라고 여긴다. 전달된 기억은 동시대 목격자나 참여자의 기억과는 구별되는 것이고, '포스트'에는 시간적 지연이 내포된다. 과거에 일어났지만 그 영향은 현재에도 계속되고 있다. 기억은 뒤늦은 시간을 공유하며 연속성과 단절 사이를 불안하게 진동한다. 우리는 어떤 사건들을 직접 보거나 겪거나 그 영향을 직접 경험하지 못했지만, 그 사건들과 우리의 관계는 사후성과 매개된 형태의 지식에 의해 정의된다.[4] 이것은 시공간을 초월하고 세대를 넘나드는 성서적 힘의 수사학이다. 현재에도 지속되는 과거의 기억이 있고, 그것을 품은 장소가 있다. 역사적 비극을 겪은 장소, 표식 없는 무덤들을 위한 기념비, 공원묘지, 재난 이후의 땅. 이 모두가 죽음이 현실이 되는 장소이자, 영원히 애도가 유예되는 곳이며, '죽음과 삶의 연극적 유희가 동시에 존재하는'[5] 반복의 땅이다. 그곳에는 상상적 투사에 의해 매개되는, 과거와 사후 기억의 연결이 있다. 사후성에는 이미 죽음이 내포되어 있고, 죽음이 현실이 되는 장소에서 시간의 지연성은 죽음을 살아있는 것으로 만든다.

1) 박경리, 「옛날의 그 집」, 『버리고 갈 것만 남아서 홀가분하다』, 마로니에북스, 2008, 15쪽.
2) 위의 글, 15쪽.
3) 위의 글, 15쪽.
4) Marianne Hirsch, "The Generation of Postmemory", *Poetics Today*, 29.1, 2008, pp.106-107.
5) 질 들뢰즈, 『차이와 반복』, 김상환 역, 민음사, 2004, 36쪽.

기억, 비물질성, 유령성, 흐름

이러한 개념은 《애프터랜드》에서 몇 가지 장치로
은유 된다. 그중 하나는 가상의 존재, 장소의
정령이라는 설정이다. 이는 작품에 직접적으로
드러나지 않고, 작품의 서사적 장치로서 숨겨져 있다.
정령은 가시화되지 않은 것들의 실체이면서 동시에
실체 없는 주체들을 대변하는 역설의 존재이자,
떠도는 신[6]이며, 마치 유령과 같은 존재다. 아니,
비존재인가? 유령과 포스트메모리는 '기억만
존재하고 몸체는 없다'[7] 는 점에서 유사하다.
《애프터랜드》의 영상 작품 속에서 정령은 기계의
눈을 한 카메라이자 비인간 주체로 분하여, 생명의
파괴와 창조, 즉 생과 사의 순환을 매개하는 동시에
죽음을 현재의 시간으로 불러오는 유령적 장치의
역할을 수행한다. 정령을 대신한 카메라라는 이
때문에 인간의 시선과는 조금 다른 속도와 시각을
갖는다. 물속을 느리게 이동하거나, 수면 위와
아래를 자유롭게 넘나들고, 낮은 위치에서 골목을
빠져나간다. 출입이 금지된 장소를 탐험하고, 풍장터
안에 들어가서는 오랜 시간에 걸쳐 서서히 풍화되어
육신이 사라진 후에 남겨진 영혼처럼 머무르면서,
장소에 축적된 시간을 영상의 타임라인에
올려놓는다. 한편으로 보면 《애프터랜드》의
정령이라는 은유는 비가시적인 것을 가시화하고
신비적이고 신화적인 것을 속세로 불러오는 주술적
행위에 가깝다. 이러한 가시화는 마치 토속 신앙에서
신을 형상화하기 위해 인간이 만들어 낸 우상 혹은
신체(神體)와 같은 맥락이다. 예로부터 장소를
구성해 온 자연환경과 그 요소는 영원의 시간 속에서
점차 신비적이고 신화적인 힘을 지닌 것으로 여겨져
왔고, 그 힘은 다시 속세에서 애니미즘으로 현상하여
인간의 삶에 동행하게 된다. 작품은 이러한 애니미즘을
근간으로 한 속설을 내러티브의 일부에 엮어 넣는다.
물이나 햇빛과 같은 자연환경, 유리구슬과 같은 사물,
너구리, 닭, 뱀, 코끼리와 같은 동물에 얽혀 전해지는
속설들이다. 정령은 물과 함께 흘렀다가, 유리구슬이
반사하는 한 줌의 빛 속에서 움직였다가, 코끼리가
바다를 건너듯 장소를 이동해간다. 이렇게 서로 얽힌
내러티브는 두 장소를 연결하는 통로가 된다.

　　《애프터랜드》의 정령과 함께 작동하는
또 다른 은유적 장치는 '물'이다. 영상 언어로서
물은 유동적이며 고정되지 않는 것으로 비물질의
물질화를 의미하는 장치다. 《애프터랜드》에서 기억의
비물질성은 부유한다. 물은 정령과 함께 이동하고,
흐르고, 솟아오르며, 장소와 그 장소 위를 살아가는
사람들과 조우한다. 우물에서 퍼 올린 물은 수십 년
전에 땅에 스며들어 지하 깊숙하게 축적된 것이며,
우리는 그 수십 년 전의 기억을 퍼 올려 마신다. 이렇게
기억의 사후성과 시간의 지연성은 물의 순환으로
다시 환유 된다. 비단 영상 이미지의 알레고리로서가
아니더라도, 《애프터랜드》 속 장소의 역사·문화적
측면에서도 물은 자연으로부터 대대로 물려받은
자원이자, 신앙이며, 비가시적이고 비물질적인 힘을
대변해 온 신체와 다름없다. 수십만 년에 걸친 화산
활동은 파괴와 창조를 거듭해 왔다. 화산에서 분출된
화산재는 땅이 되고, 솟아오른 물은 순환한다. 생명을
탄생시키는 창조의 힘을 지님과 동시에 한순간에
삶을 앗아가는 파괴의 힘을 지녔다. 고대 국가로부터
현대 도시에 이르기까지, 물의 순환과 땅의 움직임은
전설이 되고 토속신앙이 되고 믿음의 원천이
되었다. 그러나 땅의 격변에 직면한 지금 그곳에서,
《애프터랜드》는 과거의 기억을 퍼 올리듯 다시금 물을
상기한다. 장소와 장소를 이동해가는 정령과 같이,
장소에서 장소로 흐르는 물이 있다.

---

6)　애초에 나는 이 정령을 '성주신'으로 상상했다. 한국민속신앙에서
　　신줏단지에 숨어 지내며 집과 터전을 지켜준다는 신이자, 하지만
　　매우 예민하고 불안한 성격이라서 집안에 화가 있으면 가출을
　　한다는 신이며, 신줏단지가 깨지면 사라진다는 신이다. 본디 집에
　　머물렀어야 할 신이 집을 나와 떠돌게 된 연유를 어떤 사건에 의해
　　장소가 변화했기 때문이라고 상상해 본 것이다.

7)　필자가 집필한 <애프터랜드> 각본에서 인용하였다.

이후의 삶, 두 개의 땅

《애프터랜드》 기획의 발단이 된 사건은 시간을 5년 전으로 거슬러 올라가, 거기서 다시 3년이라는 시간을 되돌린다. 나는 2019년에 《고스트씨티》[8]라는 전시를 기획했다. 이 전시는 쉼 없이 해체되고 재생되는 현대 도시에서 사라지는 장소들의 흔적을 기억하고 기록하려는 개인과 사회의 일면을 다룬 전시였다. 당시 기획의 일부로서, 2016년 구마모토 대지진 이후 3년이 지난 시점에서 재난 피해자로서의 예술가들, 장소를 잃은 예술가들이 장소의 부재에 대해 구술하는 영상을 제작하였다. 이틀 사이에 진도 7의 지진이 두 차례 연이어 발생하면서 역사상 '대지진'으로 기록된 이 재난에 의해 무너진 도시는, 지자체와 시민들의 신속한 대처와 협력으로 빠르게 복구되었지만, 재난 이후 도시가 복구되는 과정에서 삶의 기본 조건인 의식주 이외의 가치는 희생되거나 보류되었다. 당장 집을 잃은 사람들 앞에서 예술은 무엇을 할 수 있었을까. 또 당장 자신의 집을 잃은 예술가들은 무엇을 해야 했을까. 장소를 잃은 사람들과, 그 물리적 해체를 목격한 사람들의 이야기가 있었다. 수많은 사람들의 '상실'이 남겨진 장소. 그러나, 그 장소 위에 살아가는 사람들의 이야기를 하기 위해서는, 단지 한 번의 재난에 국한된 것이 아니라 더 오래 전의 과거와 더 긴 시간 이후의 미래를 함께 생각해야 하는 것이 아닐까? 그 때문에 나는 《고스트씨티》에서 마저 이야기하지 못했던, '이후의 땅'과 '이후의 삶'에 존재하는 것이 무엇인지 탐구하고자 했다. 그것은 상실이 남겨진 장소에 있을 것이 분명했다. 또한 그것은 죽음과 상실의 감정적 공통성에 관한 것이기도 하고, 땅에 새겨진 기억에 관한 것이기도 하며, 과거의 시간을 물려받은 포스트메모리에 관한 것이기도 했다. 하지만 다음 해

세상은 팬데믹 상황을 맞이했다. 또다시 3년, 수많은 밤을, 망설이는 밤을 보냈다. 그리고 2022년 여름, 고영찬 작가에게 협업을 제안했다. '상실의 장소'를 함께 찾아가지 않겠느냐고. 이에 대한 화답으로 그는 '사파리 섬'을 내밀었다. 지자체가 추진한 관광개발 사업이 십 년 이상 보류되면서 방치된 농지가 있고, 섬 주민들과 지자체, 개발업자들이 이권을 둘러싸고 들썩이는 땅이 있는 곳, 결국 사파리 섬이 아닌 '수국 공원'을 만들어낸 섬. 그 섬은 무엇을 상실했으며 어떤 기억을 새긴 것일까. 그렇게, 《애프터랜드》에는 두 개의 서로 다른 시공간이 존재한다. 화산 활동으로 생명과 파괴의 순환을 살아가는 땅, 자칫 사파리가 될 뻔했던 기구한 운명의 섬. 역사적·사회적·문화적으로 전혀 관련이 없는 두 개의 시공간은 《애프터랜드》에서 만나, 서로의 운명이 어딘지 모르게 닮아 있음을 깨닫는다. 인간과 자연은 어딘지 모르게 닮은 역사를 반복해서 만들어내는 존재다.

《애프터랜드》 프로젝트는 3가지로 구성된다. 4채널 영상, 사운드와 영상 아카이브, 그리고 기록들을 엮은 책이다. 이 프로젝트가 완성되기까지, 많은 사람들을 만났고, 많은 도움을 받았다. 협업 제안을 수락하고 2년 여 동안 제작에 동참해 준 고영찬 작가, 2023년 답사부터 2024년 로케이션 촬영까지 일본 현지에서 아낌없이 도움을 준 와타나베 부부, 전무한 경험임에도 기꺼이 멋진 목소리를 녹음해 주신 고토코 씨, 발군의 능력과 세심한 배려를 보여준 현지 코디네이터 쿠로다 씨, 프로덕션 자문으로 기술적 도움을 주신 안건형 감독님, 사운드 초보인 나를 무한한 소리의 세계로 이끌어 주신 정상인 작가님, 그리고 가족들, 여기 다 언급하지 못할 수많은 분들에게 감사의 말을 전하고 싶다.

---

8) 《고스트씨티》의 개요는 다음과 같다.
 · 전시명: 고스트씨티
 · 개최일자: 2019년 9월 4일 - 9월 29일
 · 전시장소: 플레이스막 연희, 스페이스55
 · 참여 작가: 김희연, 리슨투더시티, 오카마츠 토모키, 이재욱, 이주타+최호진, 조준용
 · 기획: 임보람
 · 협업: 플랜비워크그룹
 · 후원: 한국문화예술위원회

애프터랜드, 첫 번째 장소

임보람

임보람은 큐레이터, 연구자, 영상 프로듀서이다. 시각예술과 문학, 영화, 건축 등 타 장르와의 협업을 모색하며 다양한 프로젝트를 기획하고 있으며, 독립 예술공간 플랜비 프로젝트 스페이스를 운영하고 있다. 인간의 삶에서 발현되는 여러 가지 철학적 주제에 대한 공간적 해석과 장소성 탐구에 심취해 있다. 《Between Futures》(2022, 경기상상캠퍼스 디자인1978), 《내가 잠시 떠 있는 동안에》(2021, 통의동 보안여관), 《망령들의 왕국》(2020, 플랜비 프로젝트 스페이스), 《고스트 씨티》(2019, 플레이스막 연희, 스페이스55), 제5회 아마도 전시기획상 《슬프고도 아름다운 불안의 서(書)》(2018, 아마도예술공간) 등 다수의 프로젝트와 전시를 기획하였고, 도시 인문학 교양서 『옥상과 창문: 눈으로 보는 건축 시간으로 보는 도시』(2019, 이주타, 최호진 지음, 임보람 엮음, 2020년 세종도서 교양부문 선정), 창작희곡집 『지극히 평범한 하루』(박승원 지음)를 기획하여 발간하였다. 다큐멘터리 〈일과 날〉(2024, 박민수, 안건형 연출)에 프로듀서로 참여하였다.

화산으로부터 뿜어져 나온 용암수는
비와 만나
한 겹,
두 겹,
세 겹,
수십만 년에 걸쳐 쌓인 겹겹의 지층을 통과하여
그 땅 아래, 거대한 항아리에 고인다.

그 물을 만나기까지,
수십 년의 기다림이 있다.

물의 나라 히고국

갑옷을 입고 수중에서 싸우는 영법과
물(水)을 지닌 이름들
그리고 물에 얽힌 전설이 전해 내려온다.

화산 활동과 물의 순환이 빚어낸 그 땅에서
생명의 창조와 파괴
그 반복과 함께 살아온 사람들이 있다.

용암수가 흐르는 동굴

신성한 물이 솟아오른다고 믿은 히고국 사람들은
이 동굴을 마이리아나라고 불렀다.

마이리아나에 제물로 바쳐진 닭이
하룻밤을 꼬박
좁고 긴
캄캄한 굴 속을 헤매다

새벽 어스름이 찾아올 무렵
십리 밖
마을 우물가에서

꼬끼오, 울었다고 한다.

죽은 자는 풍장터에서 마지막으로 정화된다.

몸에 차 있던 액체나 살이 다 사라지고,
뼈만 남아 저 세상으로 떠나는 과정이
캄캄한 동굴 속에서
벌레와 바람과 물과 함께 느린 시간으로 축적된다.

육신은 풍화되고 땅에 머무는 것은 반복된 시간 뿐이다.

과거에는 쌀단지 안에 숨어 집과 터전을 지켜주는 신이 있었다.

지금은 몽키D.루피와 쵸파와 상디의 동상이 있다.

그것이 움직인다.
한 줌의 햇빛 속에서도.

4월 14일 21시 26분경, 진도 7 전진
4월 16일 01시 25분경, 진도 7 본진

도시가 붕괴된 후
재개발이 빠르게 진행되있다.

무너진 땅에 거대한 고층빌딩들이 들어서기 시작했다.
T는 선대가 백년 전에 세운 건물을 철거하기로 한다.

건물을 들어내었더니
그 아래에 우물이 숨어있었다.

백년 동안 고요히 잠들어 있던
우리집의 역사

이 땅을 지켜주는 신성한 힘이 깃들어 있을지도 몰라,
T는 우물을 없애지 않고 남겨 놓기로 한다.

우물에서 백년 전의 시간이 퍼 올려진다.

모두의 소중한 집이 무너졌다.
무참한 모습을 담은 사진들이 무분별하게 쏟아져나왔다.
M에게 그것은 슬픈 기억이다.

우리가 이제껏 사람들에게 전해왔던 웃음을,
당시에는 필요로 하지 않았다.
K에게 그것은 괴로운 기억이다.

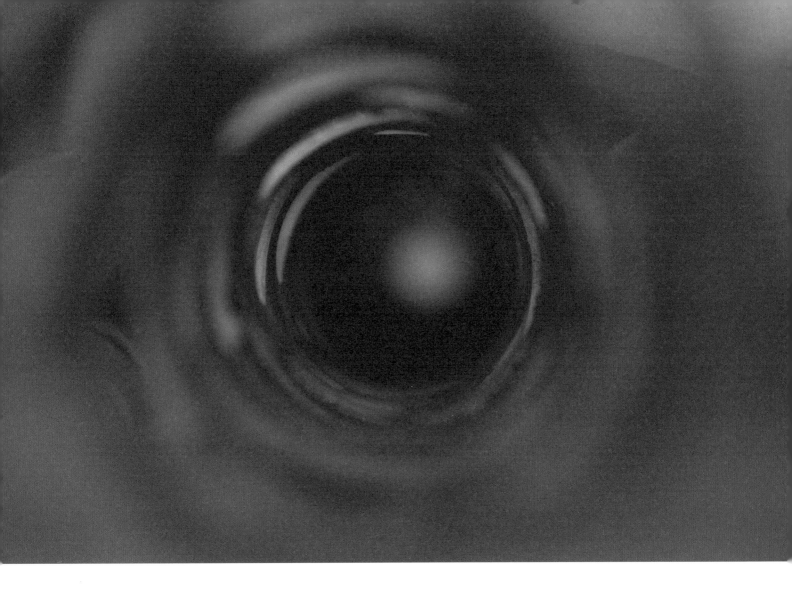

원형의 문이 있다.
문의 왼쪽과 오른쪽의 세계는 다른 시간이 흐른다.
문을 열고 오른쪽에서 원 안으로 팔을 넣으면,
한참이 지난 후에야 원의 왼 쪽에서
팔이 불쑥, 나온다.

파괴로부터의 창조
구체로부터 보이는 기억

파괴되었기 때문에 창조할 수 있다고 믿은 사람들이
와다 아키코의 노래를 불렀다.

원형의 문을 통과하면,
기억이 축적된다.
뼈대는 곧 살을 입는다.

시간이 반복된다.

흔적만 남은 땅은
과거의 기억을 품고 현재를 짓는다.
수십년 전의 물을 품었다, 다시 내뿜는다.

짓고 부수는,
성장해서 다시 무너지는,
살아서 죽는 땅.

몸체는 없고
기억만 존재하는 땅.

케이코의 경우

지금은 없어졌지만, 갤러리 아두를 운영했던 쿠로다
케이코라고 합니다. 그렇네요. 지금에 와서 뭐라고 자신을
소개하면 좋을까 고민될 정도로 여러가지 일들이 있었네요.
잘 정리가 안되지만, 그리고 내 자신 안에서는 지금도 아직
모색중이라고 하겠지만, 문화 코디네이터라고 생각하고
활동하고 있고요, 가능하면 구마모토의 여러가지 문화나
역사와 같은 부분도 포함해서 신구의 융합이 될 수 있는
새로운 형태를 창출하고 모두에게 보여줄 수 있는 기회를
만드는 것, 그런 일들을 계속하면 좋겠다고 생각해서
지금까지 활동해 왔어요.

Q. 케이코 씨의 활동은 커뮤니티 중심의 마을 재생
사업이면서 또 예술가들이 자립할 수 있는 환경을
만들기 위한 기반 사업을 추진해 온 것이었어요. 그런데,
예술로서 마을 활성화에 성공하고 나니 젠트리피케이션
문제에 부딪혀 그 장소를 떠나게 되었는데요. 오랫동안
자리 잡고 활동했던 가와라마치라는 장소가 어떤 곳인지,
거기에서 벌어졌던 예술의 날 행사와 가와라마치 아트
어워드는 어떤 것이었는지 얘기해주세요.

A. 가와라마치라는 장소는 섬유도매상업가였는데,
1950년대부터 이어져온 가장 번성했던 상업지구였어요.
그런데 내가 어렸을 때는 번성했던 곳이지만 어른이
되고 나서 보니, 피폐해져서 셔터가 내려진 마을이 되어
있었어요. 오랜만에 이 동네를 찾게 된 계기가 있어서
들러봤더니, 쇼와라는 시대가 그대로 남아있는 것 같은
공간이어서, 그 경관에 매료되었지요. 지금 벌써 헤이세이도
지나고 레이와로 연호*가 바뀌었는데 말이죠. '이런 장소가
아직 있구나' 하고 생각했어요. 중심 시가지에는 물론
파르코라든지 첨단 유행의 패션 가게들이 늘어서 있는,
그런 곳이에요. 어느 동네에 가도 다르지 않은 것 같은.
이쪽에 가면 백엔샵이 있고, 여기에 가면 유니클로가 있고
그런 동네. 하지만 바로 그 옆으로 한발자국만 가면, 어?
이런 곳에 왜 이런 동네가 있지? 할 정도로, 남겨진 동네가
가와라마치였어요.

그 장소에서 이미 예술 마을을 조성하자라는 분위기가
시작되고 있었어요. 그곳에서 내가 할 수 있는 것이 무엇일까
생각했더니, 전에 화랑에서 근무했던 경험도 있고 하니까
갤러리를 열면 예술가들의 표현의 장이 될 수 있지 않을까
생각했어요. 갤러리만으로는 구마모토라는 지방도시에서
다가가기 어렵거나 접점이 없을 것 같아서 카페를 겸하는
것이 좋을 것 같아, 갤러리카페로서 12년 정도 운영하게
되었습니다.

처음에는 예술 마을을 조성하기 위해서 그곳의
점주들, 가와라마치의 멤버들로 여러가지 다양한 이벤트를
기획해서 열었어요. 그 가운데 오랜 기간 계속해왔던 것이,
'가와라마치 예술의 날' 행사의 발단이 되었던 이벤트에요.
한 달에 한 번, 예술가들의 오리지널 작품들을 모아서,
플리마켓 같은 걸 해보자 했던 것이 발단이었고, 한 달에
한번 이벤트를 개최하기를 계속한 결과, 시행착오를
겪으면서 가와라마치 예술의 날이라는 행사를 8년정도
지속하게 되었고요. 그것을 좀 더 업그레이드 하고 싶어서
기획했던 것이 가와라마치 아트 어워드라는 것으로
탄생했고, 어워드는 6회 정도 했네요, 1년에 한번 심사
형식으로 자신들의 작품을 선보였어요. 그렇게 12년이 지난
후에야 겨우 이 동네가 인지도를 얻었다는 것을 실감하게
되었어요. 셔터가 내려진 동네, 빈 점포들만 늘어서 있는
장소였던 이곳에 전부 점포가 들어서게 되었고, 점포가
없어서 텅 비어 있었기 때문에 빈 공간을 채우는 방식으로
예술 이벤트를 기획했던 것인데, 이제는 전시할 수 있는
장소가 없어져 버린 것이죠. 우리가 방해가 되어버렸지요.
아, 이제 어엿한 하나의 동네가 되었구나 해서, 이제 더
이상 무리해서 할 수 없겠구나 하고, 겨우 처음으로 저도
끝이라는 것을 의식하게 되었고, 12년이라는 기간의 막을
내리게 되었습니다. 가와라마치에서 운영했던 갤러리도 막을
내리고, 예술 마을 만들기도 그쯤에서 끝내고요. 마침 그러던
참에, 참으로 불가사의하게도, 그 후에 화재가 발생했고,
가와라마치 전체의 반 정도가 전소했어요. 또 마침 구마모토
지진이 발생해서 큰 타격을 입었고요. 이제 그 동네는
없어지겠구나, 하고 그 때는 생각했어요. 물론 아직 일부
영업하는 점주가 있고, 아직 목숨을 붙이고 있네요.

Q. 처음에는 폐허 같은 곳, 셔터가 다 내려져 있고 점포들이
비어 있는 버려진 곳 같았지만 예술가들이 활동하기
시작해서 12년이 흘러, 빈 가게가 전부 없어지고 더
이상 활동하기가 어려워질 정도로 번성하게 되었다면,
재개발이나 상권의 이익과 관련하여 여러가지 이야기가
있었을 텐데요. 도심 한가운데에 위치하여 있으면서도
1950년대의 모습을 간직한 이 동네의 경관을 문화
유산으로 보존해야 한다라든지, 그런 움직임이
있었는지요? 도시가 개발에 의해 변해갈 때 오랜 역사를
가진 동네에서 점점 어떤 움직임들이 생겨나는데,
마을 만들기 운동의 일환으로 경관을 보존해야
한다는 움직임이 있는 반면, 또 한편에서는 재개발을
추진하려는 움직임도 있습니다. 아직 재개발의 바람이
불지 않아 오랜 경관을 그대로 가지고 있는 동네의 경우
경제활동의 쇠락이라는 점도 있기 때문에 보존과 개발
두 측면의 움직임이 모두 타당성을 주장하게 되지요.

A.　가와라마치는 무척 좋은 장소이기는 한데, 뭐랄까, 그 당시에는 상업지구라고 딱 잘라 말할 수 없는 곳이 되어 있었으니까, 가만히 뒷짐지고 있어 봤자 마을 재생 사업 같은 것이 자연스럽게 연결되지는 않았을 거예요. 이런 곳에 돈을 들이고 싶어하지 않는 사람도 있고, 빨리 철거할 수 없나 하는 그런 사람도 있는 와중에 거기에 정부보조금을 사용한다든지 경관을 보존하기 위해 돈을 내도록 한다든지 하는 그런 움직임은 행정부처 같은 정부 기관 쪽에서는 없었어요. 단지, 우리들이 나서서 '여기 이런 곳이 있어요, 멋진 곳이에요' 라고 알리고, 우리 쪽에서 행정부처에 그런 활동에 쓰일 수 있는 기금을 신청하는 등의 활동을 하지 않았다면 그런 마을 재생의 움직임은 없었을 거예요.

Q.　오랫동안 그 동네에서 자리잡고 활동하다가, 이제 가와라마치에서의 활동을 접고, 켄군마치라는 새로운 곳으로 완전히 거처를 옮겼잖아요. 큰 변화였을 텐데요. 제2막을 열고자 결단을 내리게 된 계기가 무엇이었을까요.

A.　구마모토의 대형 토지개발 회사가 있는데 그쪽에서 쿠로다 씨의 힘을 켄군이라는 곳에서 써주지 않겠냐는 제의가 있었어요. 가와라마치에서의 활동에 막을 내리면서, 개인사업자에서 법인으로 변경하였고 이런 제안이 성립된 것이죠. 가와라마치에서 했던 예술문화 활동을 켄군마치에서 해주는 것으로 인해 분명히 또 동네가 변화해갈 것이라고 생각했고요. 또 이전한 장소는 후에 신축 맨션으로 재건축을 할지도 모르겠지만, 그 때까지의 시간 동안 당신의 힘으로 이 켄군이라는 동네에서 활동해주지 않겠냐고 제안해 주었던 것이 제가 결단을 내릴 수 있는 이유였네요. 켄군으로 오게 되면서 건물 한 채를 운영하는 형식으로 사업을 확대했기 때문에 저도 그 와중에 역시 각오가 없으면 안되었어요. 역시 법인이 되었기 때문에, 회사를 운영한다는 감각, 개인사업주로서의 감각과 회사로서의 감각의 차이가 역시 큰 변화였고, 그랬기 때문에 제안을 받아들였고요. 회사 단위에서 사업 계획 같은 것도 내 안에서 생각이 바뀌었던 것 같아요. 그냥 좋아서 하고 싶은 대로 하던 것과는 다르니까, 그런 점에서도 켄군은 알맞은 장소라고 생각해서 도전했지요.

Q.　켄군마치는 어떤 동네인가요.

A.　켄군마치라는 곳은 꽤 역사가 깊은 곳으로, 켄군이라는 이름에는 '군'이라는 말이 붙는데요. 자위대가 매우 가까운 곳에 있어서, 자위대의 여러가지 군사기기라든지, 대포라든지, 과거에는 그런 총기류를 만드는 마을이었다고

해요. 그러니까 주택가로서는 오래된 곳은 아닌데요, 가와라마치 주변처럼 성 아래 마을과는 다른 장소이지만요, 중심가와는 조금 떨어진 하나의 작은 콤팩트시티로서 형성된 곳이면서, 쇼와 시대의 역사적인 성짐가였던 장소네요. 상인 조합이라던지, 상가 번영회가 힘이 세고, 그래서 근사한 아케이드도 만들었고요. 토요일과 일요일에는 차가 다닐 수 없고 보행자 천국이 되는, 그런 점들이 잘 확립되어 있는 하나의 거대한 상점가네요. 그렇지만 사람도 적고, 할아버지 할머니 밖에 남아있지 않는, 안을 들여다보면 조금 쇠락한 마을이라는 이미지예요.

Q.　새로운 시작, 커리어의 제2막을 올리려던 참에, 큰 재난을 겪어야 했어요. 피해는 어느 정도였나요?

A.　자, 지금부터 시작이야, 하던 시기에, 오픈하고 2주만에 지진이 왔어요. 개인전 중이었는데. 피해는, 뭐, 역시 좀… 갤러리는 50평 정도였는데 한쪽 면의 벽이 떨어져나갔고, 뭐…. 사실 가장 아픈 부분이네요. 이제부터 시작이라고 생각해서 의욕 넘치던 시점에. (지진 당시) 갤러리에 있었는데요. 갤러리에서 개인전 열고 있던 작가하고 이야기를 나누고 있을 때 지진이 와서. 그래서, 뭐, 그 때는 눈에 보이는 변화가 없어서 괜찮았는데 본진이 온 다음에, 그 다음에는, 무섭고 또 무섭고. 갤러리에 들어가 봤더니, 뭐, 엄청나서. 유리가 깨져서 2층의 갤러리 창이 낙하했고. 벽은 떨어져 나가서 밖이 보이고. 파편이 떨어져서 발 디딜 곳이 없고. 전시중이었던 그림도 물론 다 떨어져 있고. 지붕이 없어져버렸고. 외벽이 무너져서 떨어져 있었고.

　　하지만, '아직 쓸 수 있어' 라고 믿었어요. 이것이 최악의 상황이라고 생각할 수가 없었어요. 생각하고 싶지도 않았어요. 그래서 아직 쓸 수 있어, 어떻게든 될 거야. 청소하면 어떻게든 될 거야, 갈라진 벽은 베니아 판으로 막으면 우선은 어떻게든 되겠지. 그런 식으로, 현실을 받아들이지 못했어요. 그런 상태였어요. 그렇게 자신을 속여가며 버텼지만, 지진 피해 후 2개월이 지나, 결국 건물 해체(철거)가 결정되었지요. (철거한다는) 그 말을 들었을 때에는, 결국 온몸이 떨려왔네요, 정말로. 앞으로의 나는 어떻게 되는 걸까 라는 것도 포함해서, 지금까지 예정되어 있던 사람들을 이런 식으로 배신하게 되는 것이 정말 괴로워서. 역시, 정확히 말하면, 나는 표현자가 정말 좋아서 이 일을 시작하게 되었고, 표현하지 못하는 것을, 표현하지 못한다는 스트레스가 제일 불쌍하다고 생각하고 있어서, 표현할 수 있도록, 금액 설정도 그랬고 장소도 자유롭게 사용해도 좋아요, 못박아도 좋아요, 뭐든 해도 좋아요, 그런 방식으로 받아들여왔기 때문에, 할 수 없어, 라고 말할 수 밖에 없는 것이 정말로 괴로워서, 뭔가 숨쉬기도 힘들었어요. 계속.

인터뷰

Q. 재난이라는, 그런 상황에서 어쩔 수 없이 장소를 잃게 되었다는 것인데요. 지진이 일어나서 일부가 무너져 내린 그 장소에서, 낙담하지 않고 이벤트를 벌였잖아요. 예술가들이 모여들어서. 단지 즐거우니까, 라는 이유가 아니라 무언가 다른 이유로 모여들었을 거라고 생각하는데요. 당시에 가졌던 여러가지 생각, 또는 두려움에 대해 이야기 해주세요.

A. 여기가 정말로 사용할 수 없다는 것을 알았을 때에, 그럼 마지막으로 전시가 예정되어 있던 사람, 그리고 지금까지 관련되어 왔던 표현자들을 불러서, 뭐랄까, 마음대로 하게 해보자, 원하는 만큼 페인팅 하게 해보자, 그렇게 생각해서, 작은 이벤트를 열게 된 것이에요. 비공개로 열려고 했던 것인데, 20명 30명 정도로 북적북적하게 하면 좋지 하고 생각했더니, 60명정도 모여서, 뭔가 굉장히 북적이게 되었는데요, 그것도, 낙담한 기분이 아니라, 낙담했지만 아직 살아있어요, 숨쉬고 있어요, 그런 걸 표현하고 싶어서 모였어요.

그 때의 타이틀이, 와다 아키코라는 가수가 있는데, 「그 종을 울리는 것은 당신」이라는 노래가 있어서, 그 가사 중에 "넘어져도 상처 입어도 희망의 향기가 나요" 같은, 울부짖어도 희망의 향기가 나네 같은 구절이 있어서 그 부분을 타이틀로 해서 가사처럼, 그런 마음으로. 모두 상처받았고, 아픔을 겪었지만, 그래도 이제부터 무언가 희망의 바람이 느껴지네 같은 기분을 거기서 표현할 수 있다면, 모두가 느낄 수 있다면 좋겠다고 생각해서 모두 모여서 창고나베 먹으면서, 마음 내키는 대로 건물 한 채 다 사용해도 좋으니까 그리고 싶은 것 그리고 노래 부르고 뭐든지 하라고, 그렇게 하루 동안 해방되었네요.

그랬더니 역시 여러 아티스트들이, 참고 있었구나 하고 실감했어요. 지진 피해 이후라는 것은 역시 의식주가 먼저이고, 예술이나 문화 같은 그런 것은 보이지 않았으니까요. 그래서 우리들이 지금까지 뿌리내리고 키워왔던 마을 만들기라든지 커뮤니티 아트의 힘을, 예술가들이 무언가 사람과 접촉하는 것으로 웃음을 지을 수 있게 만드는 힘을 가지고 있다고 생각했으면서도 지진 피해 후에 곧바로는 그런 힘을 쓸 수 없었던 거예요. 전혀 (우리를) 필요로 하지 않았어요. 그것이 아주 괴로워서, 나도 괴로웠지만 예술가들도 괴로웠다고 생각해요. 그런 생각이 거기에서 폭발해버려서 자신들에게는 이러한 에너지가 있다 라는 것을 모두가, 해방된 것처럼 보여주었고, 역시 표현자라는 것은 표현하지 않으면 괴롭구나 하고 실감했어요. 그 욕구를 역시, 무언가 사람을 위해서 사용한다 라는 것이 예술가들의 역할이구나 하고. 그런 것을 실감했던 순간이었어요.

Q. 예술가들의 그런 분출을 지켜본 경험이 《구체로부터 보이는 기억》,《파괴로부터의 창조》를 기획하게 된 계기가 된 것인가요? 지진이라는 재해의 경험은 가벼운 것이 아니기 때문에, 목숨을 지키는 것 또는 의식주가 먼저 우선시되는 분위기 속에서 예술가들이 자신들의 정체성을 유지하는 것이 쉽지 않을 것이었을 터이고, 때로는 설자리를 잃은 예술가들이 예술활동에 복귀하는 것 자체가 어렵거나 부정당하기도 하기 때문에, 자신을 잃어버리기 쉬운 재해환경에서 그런 모습들을 목격하고 경험한 당사자로서, 그 이후로 이어지는 기획을 준비했을 때의 마음이 평범하지는 않았을 거라고 생각하는데요.

A. 마지막에 갤러리 건물을 철거하기 전에 열었던 이벤트에서 예술가들의 변화를 보고, 이건 역시 장소, 표현할 수 있는 장소라는 게 정말 필요하구나 하고 생각했어요. 그 사람들의 욕구를 채워줄 수 있는 것은 역시 장소구나 하고. 나 자신도 장소를 잃었고, 그런 의미에서는 내 공간에 받아줄 수 없으니까, 그럼 어딘가에서, 어딘가 사용할 수 있는 곳이 있으면 거기에서, 그런 표현의 장을 만들지 않으면 안돼, 라는 생각이 역시 떠올랐어요. 그래서, 아는 사람의 건물이 역시 지진피해로 철거가 결정되었다는 얘기를 듣고, 그럼 철거까지 조금 시간이 있으니까, 거기를 표현의 장으로서 사용할 수 있도록 해주지 않겠냐고 부탁해서, 2개월간《구체로부터 보이는 기억》이라는 전시를 했어요. 왜 '구체'라고 했나 하면, 건물의 골조가, 마침 1층이 빈 점포가 되어서 다 드러나 보였거든요, 골조가. 그런 골조를 볼 수 있는 것도 드문 일이고, 100년 가까이 된 건물이었기 때문에 정말로 예로부터의 대나무로 만들어진, 건물의 기초가 보이는 와중에 전시가 가능한 것은 이 타이밍 밖에 없고. 그 100년 건물의 기억과 맞물려 지금이, 지금 살아가는 인간들이 어떤 식으로 표현 가능한 것인가, 융합 가능한가 하는 그런 장으로서 표현이 되면 좋겠다고 생각해서, 건물주에게 양해를 구하고 성립시켰어요. 우선 점포를 잃고 생업을 이어가기 어려운 사람들을 그 안으로 불러들여서 매일 점포를 열게 하면서, 예술 활동을 그 곳에서 이어가도록, 일반 관객들과 접점을 만들 수 있도록 하는 표현의 장으로서 두 달을 보냈어요. 거기서 음악 이벤트도 하고 라이브 페인팅도 하고, 100평정도 였기 때문에 그런 공간으로 사용하면서, 다음 활동으로 이어지는 시간이 되도록 했지요.

Q. 그 공간도 100년된 곳이었지요?

A. 그 점에 끌려서요. 그 100년의 역사. 그 100년의 역사가 여기서 끝나는구나, 하는 것에 맞추어 사진 전시도 하고 그 역사에 관련된 사람들에게 사용하도록 하고.

Q. 그후 1년 지나서 《파괴로부터의 창조》를 기획했는데요.

A. 그렇죠. 다음 해, 2017년 초였나. 지금 말한 《구체로부터 보이는 기억》은 카비도오리라는 곳에 있고요. 그 다음에 기획했던 《파괴로부터의 창조》는 시모도오리라는 곳이고, 큰 안경점이 있던 빌딩이 역시 철거한다고 결정되어서 거기서 했어요.

Q. 지진 직후가 아니라 1년 뒤에 철거가 결정되었네요?

A. 그래요. 여러 보조금이나 그런 것을 신청하면 허가가 나오는 게 늦어요. 결정 되어도 철거할 때까지 시간이 있고요. 그 동안 사용할 수 있냐고 부탁해서 승낙을 얻고 그곳도 하고 싶은 대로 다 했어요. 할 수 있게 해 주셨죠.

Q. 《파괴로부터의 창조》는, 《구체로부터 보이는 기억》이 있었기 때문에 가능했던 것인가요? 철거가 될 건물이 있었기 때문에 가능했던 것인가요?

A. 역시 그 기획들은 제가 2주밖에 운영하지 못했던 켄군마치 상점가에서의 갤러리가 지진 피해를 당했기 때문에 문을 닫게 되었던 때에, 그 마지막을 위해 열었던 이벤트가 크게 작용했어요. 그걸 다시 한번 만들어보고 싶다고 생각했어요. 그만큼의 표현이 가능한 장소, 신경 쓰지 않고 표현 가능한 장소를 만들고 싶다고 하는 마음에서 이어져갔다고 생각해요. '파괴로부터 창조'라는 것은, 역시 실감했던 것이에요. 파괴되어서, 의도해서 파괴 당한 것이 아니라, 파괴되었던 것이었기 때문에 역시 새로운 것을 재생할 수 있구나, 그것은 살아있는 인간이 있기 때문에 성립되는 것이고 하고 싶다고 생각하는 것이고요. 이번에 그 지진을 경험하면서 생각한 것이, 사람이란 게, 저력이 있구나 하는 점이었어요. 약하다는 것보다, 저력을 가지고 있구나 하는 것. 저는 그 부분을 《파괴로부터의 창조》에서 표현하고 싶다고 생각했어요. 저력, 인간이라는 것이 저력이 있다는 것. 이런 일을 겪어도, 상처입어도, 살아간다고 하는 힘이 장착되어 있구나 하고, 그것은 살아있는 사람 누구나가 가지고 있는 힘이라는 것을 표현하려고 했어요.

그래서, 역시 파괴되었기 때문에 오히려 새로운 것을 창조해낼 수 있는 공간이 만들어졌다고도 말할 수 있고요. 그런 면에서, 자, 그럼 무엇을 해줄래? 라고 부탁했지요. 그랬더니, 선두에 서 주었던 구마모토의 아티스트가 있어서, 그 사람이 라이브 페인팅을 하는 사람이니까, 그걸 메인으로 하는 형식이 되어버렸는데요. 그럼, 조금 가까이서 지켜보았던 큐슈의 미야자키현에 사는 아티스트와, 멀리서 지진을 정보로만 알고 있었던 나고야에 사는 아티스트, 이렇게 3인이 같은 장소에서

어떤 페인팅을 할 수 있을까, 그 표현의 차이를 보자고 했어요. 에너지의 차이 같은 것을 느낄 수 있다면 좋겠다고 생각해서 진행했죠.

Q. 그런 기획을 받아들이는 작가들의 태도랄까, 사실 이런 상황(지진)을 표현하는 것에 거부감이 있을 수도 있는데요, 자 우리가 모두 해봅시다 이런 분위기였나요?

A. 예술가들은 예기치 않은 사건으로 상처받았거나 하는 사람을 보면 자신에게 가능한 일이 무엇일까 생각하는 것 같아요. 정말 기분 좋게 와서 참가해주었어요. 오히려 미야자키의 아티스트로부터 "구마모토 아티스트 이 정도 밖에 안되는 거냐!"라는 말을 들어버렸죠. 반대로 뭔가 깨달았다고나 할까. 정말 '내가 할 수 있는 것이 있다면' 이라는 마음가짐으로 모두 와주었고요. 구마모토의 아티스트들도 모두 그랬고요.

Q. 케이코 씨의 경우 갤러리 아두라는 장소가 자신의 활동에 있어서 상징적인 것이었는데, 갑자기 재난으로 인해 한번에 바뀌게 된 상황을 맞이했을 때, 급격한 변화 속에서 자신의 활동이 장소라는 것과 어떤 식으로 연결되고 혹은 분리된다고 생각했는지요?

A. 갤러리를 잃었을 때는 이러한 변화를 겪을 수 밖에 없다면 나 자신도 변해도 된다고 생각할 수 있었어요. 재난을 겪기 전에는, 나의 표현은 갤러리라는 상자가 없으면 안된다고 분명 생각했었어요. 하지만 갤러리 없이도 쿠로다 케이코라는 삶의 방식을 표현하는 것은 분명 가능할 것이었을 텐데요. 새로운 자신을 찾아보고 싶고, 아직 할 수 있는 잠들어 있는 재능이 있다면 역시 그걸 알아가는 것이 제가 관심 있는 것이기도 하고요. 그래서 꽤 바뀌었네요. 지진 후에. 생각할 수 밖에 없었다고 할까. 지진을 겪은 후에는 상당 기간 사람도 만나지 않고 틀어박혀 지냈었어요. 필요한 것만 하면서 살았다고 생각해요. 하지만 겨우 굳혀진 생각은, 갤러리 아두의 쿠로다 케이코가 아니라, 쿠로다 케이코는 아두라고 하는 가게를 했었던 사람일 뿐이라고, 경력은 끌고 가더라도 지금부터는 '아두의 쿠로다입니다'가 아닌 방식의 일을 해 나가자 하고 생각해서요. 지금은 (재난 후에) 전에 교류하던 예술가들과 연이 끊어졌지만, 그래서 쓸쓸함은 있지만요, 분명 새로운 형태를 만들어내서 새로운 장소에서, 새로운 일을 전개해갈 것이라는 식으로 스스로 마음속에는 생각하고 있으니까. 그렇게 해가려고 생각해요. 예술에 대한 마음가짐이나, 내가 보아왔던 예술이라는 것은 무엇인가 하는 것은 역시 변하지 않으니까요. 그래서 내가 선 자리에서 할 수 있는 것을, 내 몸이 움직이고 있는 와중에 찾아가겠구나 하고 생각하고 있어요.

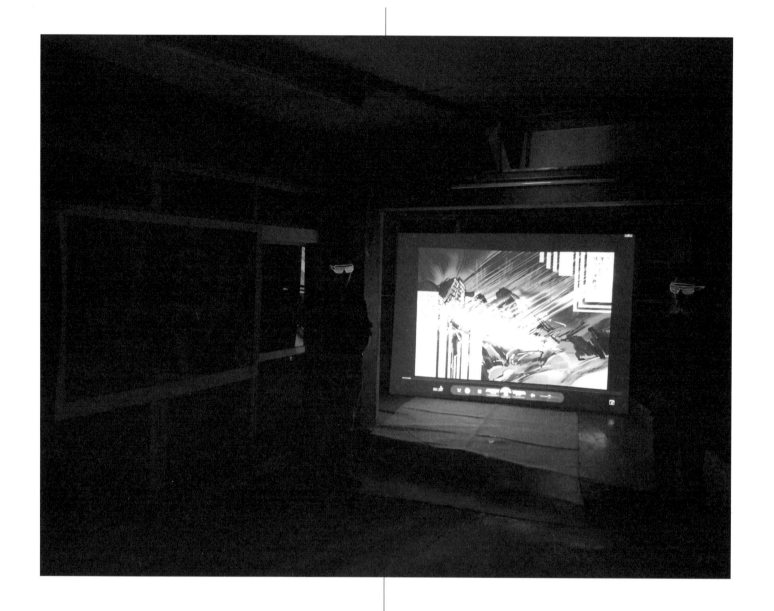

마이의 경우

카와바타 마이라고 합니다. 사진가이자 기모노 스타일리스트입니다. 저는 20대부터 인물사진을 쭉 찍어왔어요. 처음에는 그저 좋아서 사진을 찍었는데, 사진을 어떤 식으로 보여주어야 할까, 사진은 어떤 식으로 모두와 공유되는가에 대해서 사진가로서 사진을 마주한다는 것이 무엇인가 처음으로 생각하게 된 것은 내 아이가 죽어서 사진을 찍었을 때였던 것 같아요. 부모의 욕심이지만요. (죽었는데도) 귀여워 죽겠는 아들의 모습이 사랑스럽기 그지없어서. 가족이 사랑스러워서. 얘기가 길어지는데… 괜찮을까요?

지금 딸은 사실 임신 3번째로 태어난 아이인데요. 처음 임신했던 아이가, 출산이 임박해서, 이제 태어날거에요, 하는 일주일 전에 돌연사를 했어요. 남자아이였는데, 몸은 겉으로 보기에는 건강하고, 보통 아기가 태어날 때 3킬로그램 전후인데요, 크기도 제대로였고요. 일본 법으로는 바로 화장을 할 수가 없어서, 병실에서 이틀 같이 지냈는데요. 죽었지만 귀엽고 귀여워서 어쩔 줄 모르겠고, 그래도 슬프고 슬퍼서 어쩔 줄 몰랐어요. 그래도 저는 역시 사진을 찍는 사람이라, 죽은 아기의 사진을 찍었어요. 처음으로 나갔던 가와라마치 아트 어워드 당시에 그 가족위영사진을 출품했는데요. 죽은 아들하고, 남편, 나, 딸 전원 같이 찍은 가족의 위영사진으로 출품했어요. 그 때 오모키 씨라고 구마모토에서 갤러리를 운영하는 분이 상을 주셨고, 또 도쿄에서 심사위원으로 오신 디자이너 아마노 씨가 역시 상을 주셨어요. 부상으로 오모키 씨의 갤러리에서 개인전을 할 수 있었죠.

Q. 마이 씨의 인물사진들에는 그런 긍정적인 어떤 태도가 있어요. 그런 태도는 구마모토 지진을 겪은 후에 피해 복구에의 모금을 위한 전시 《여행하는 구마모토 사진전》에도 역시 반영되어 있는 것 같아요. 어떤 연유가 있었는지 이야기해 주세요.

A. 우선, 2016년에 구마모토에서 큰 지진이 있었어요. 그것도 진도 7의 지진이 두번이나 있었습니다. 그 장소가요, 구마모토는 넓은 곳이긴 하지만, 마시키라는 동네가 아소에 인접한 지역인데요. 거기가 제가 사는 동네였어요. 첫 번째는 저도 그곳에 있었어요. 딸이 당시 두 살이었기 때문에 매우 위험하고 또 무서워서, 다행인지 불행인지 집은 안 무너지고 서 있었지만, 밤에 지진이 있었으니까요, 다음날 아침에 구마모토 시내에 있는 친정에 딸하고 피난을 갔어요. 14일에 첫 지진이 있고 나서 그 다음에 16일에 두번째 지진이 왔어요. 그 지진으로 인해서, 원래도 큰 지진이었지만 더욱 더, 사망자도 발생하고 피해도 컸던, 엄청난 지진이었어요.

저는 마시키 동네로부터 아마 42일 정도 피난생활을 했는데요, 그래도 역시 마시키는 제가 살고 있는 동네이니까,

모두 힘들겠다는 생각에 (피해지역을) 오가며 봉사활동을 하거나, 먹을 것을 가지고 가거나 했어요. 그런데 정말 뭔가 고질라가 지나간 것처럼, 정말 전쟁이, 폭격이 있었던 것 같은 모습이었어요. 그래서 SNS나 미디어에서, TV라든지, 여러가지를 보게 되는데요, 뭔가 무참한 모습의 사진이요. 물론 지금 구마모토 큰일났어 하고 모두가 걱정해서, 미디어 관계자가 아니더라도요, SNS라는 게 있으니까 누구나 발신하지만요. 모두의 소중한 집이 무너졌는데, 그걸 모르는 사람이 휴대전화 카메라로 찍어서 SNS에 올리고. 물론 큰일이야 라는 생각이었을 것이고, 앞으로 부흥을 해 나가지 않으면 안되니 자금도 필요할 테니 모금을 위한 목적이나 그러한 여러가지 생각이 있었겠지 하고 생각하지만. 무언가 슬펐네요, 역시. 사진이 이런 무참한 모습에 사용되고, 구마모토가 뭐랄까, 정말 좋아하는 구마모토가, 아름다운 구마모토가 전부 그런 식으로 짓밟혀버렸다는 기분이 들어서 정말 싫다고 생각했어요. 정말 싫다고.

그래서, 어떻게 하면 좋을까 생각했어요. 무엇을 할 수 있을까. 구마모토를 위해서. 그런 생각을 했을 때, 나는 체력도 부족하고, 먹을 것을 전달하거나 하는 가벼운 봉사활동은 했지만, 노인들을 간호하거나 그런 것도 할 줄 모르고, 가두 모금처럼 거리에서 모금활동을 하는 것도 무언가 위화감을 느껴서. 그런 것을 부정하는 것은 아니지만, 나는 사진가이니까, 무언가 발신하고 싶어, 발신하고 싶구나, 나. 그렇게 생각해보았을 때, 아름다운 것을 모두에게 다시 보여주고 싶다는 기분이 생겨났어요. 처음에는 구마모토에서 사진전을 하려고 생각했는데, 도쿄에 거주하는 극작가 친구가, 전화로 걱정해주면서 "우선은 도쿄에서 해봐" 라고 했어요. "발신하고 싶지?" 라고. "그럼, 도쿄에서 시작하는 게 좋아" 라고. 모금 활동으로 현금을 모으고 싶다면 우선 먼저 일본의 수도에서 하는 게 어떠냐고 한 거죠. 저는 그런 건 무리라고 생각했어요. 아이도 아직 어리고, 돈도 없고, 구마모토는 지금 이런 상황인데. (거기서는) 지진얘기 수천 번 수백 번 들었을 텐데. 그렇게 느꼈지만, 하룻밤이 지나고 나니, 그렇네, 라고 생각했어요. 왜냐하면, 구마모토는 모두가 지금 힘든데 구마모토에서 모금활동을 해도 좀처럼 돈을 받기도 미안하고요. 구마모토는 구마모토니까, 구마모토의 일을 잘 알고 있으니까, 우선 외부에서, 라고 생각했어요. 그 극작가 친구가 프로듀서로서 함께 해주어서, 도쿄에서, 구마모토 지진이 4월이었고, 9월에 했으니 5개월 후였네요.

전시는 신문이나 TV, SNS로도 많이 홍보했기 때문에 그런 걸 보고 구마모토와 인연이 있는 분들이 꽤 와 주셨어요. 구마모토 출신인 분들, 40년, 50년 전에 살았었고 꽤 오랫동안 돌아가지 않은 곳이지만 고향이니까. 물론 구마모토 출신이 아니어도 구마모토를 아껴주시는 분들, 지진피해를 걱정해주시는 분들, 단순히 사진에 관심있는 분, 여러 사람들이 와 주셨네요.

Q. 물론 카와바타 마이라는 개인으로서 지진 피해를 겪었기 때문이기도 하겠지만, 역시 사진가로서의 정체성을 지닌 자신이 어떤 사명감 같은 것을 발휘한 것은 아닌가요?

A. 그렇네요. <여행하는 구마모토 사진전>, 왜 '여행하는'인가 하면, 여행하듯이 여러 곳을 순회하고 싶었던 마음이 있었고, 구마모토 사진전, 그러니까 구마모토 '지진' 사진전이 아니었으면 하는 마음이 있었어요. 프로 보도 사진가는 엄청 큰일이 벌어진 곳도 가고, 이렇게 말하면 좀 그렇지만, 역시 무엇보다 신선함이라고 할까, 처음(지진이 발생했을 당시)의 그 상황을 찍고 싶다고 생각하니까요. 하지만 저는 역시, 구마모토 지진이 있기 전의 모습, 집도 그렇고 경치도 그렇지만, 무너지기 전에 정말 아름다웠던 구마모토, 모두가 정말 사랑했고 앞으로도 사랑할 구마모토를 전하고 싶다는 생각이 컸어요. 지키고 싶었어요, 역시. 아름다운 것을. 그래서 저는 사람을 좋아하니까 사람 사진이 단연 많았고요. 마시키에 살고 있었으니까 동네 풍경도 찍어 놓은 것이 있어서 풍경사진도 걸 수 있었네요. 그리고 역시 피해상황을 전달하지 않으면 안되니까, 저는 보도 사진가는 아니라서 예술로 표현하고 싶다는 마음이 있었지만 그래도 (피해를 알리기 위해서) 저널리즘적인 태도가 강했다고 생각해요. 솔직히 말하면. 사진의 힘이란 그런 것이니까. 가까이에 있었던 사람이니까 찍을 수 있었던 것도 있었고, 이제 절대로 과거로는 돌아갈 수 없으니까, 지진 전의 사진도 있었고요. 또, 혼자서 자신을 표현하고 싶어 같은 것이 아니라 구마모토를 전하고 싶었기 때문에, 사진을 찍는 동료들이 프로도 있고 아마추어도 있었지만, 13명 모여서 동료들과 여러가지 각도로 전달할 수 있길 바라는 마음이었어요. 그리고는 "현금이다!" 였어요. 돈을 받을 수 있는 곳에서 받을 수 있는 만큼 받아서 부흥을 위해 소중히 사용하고 싶었다고 생각해요.

Q. 지진이 있고 나서 3년이 지났는데, 당시보다는 재건이나 부흥의 분위기가 사회적으로 많이 가라앉은 것처럼 보이는데, 본인 이외에 주변 상황을 둘러보았을 때 지금의 사회 분위기는 어떤가요?

A. 당시에는 물론 구마모토 시내에도 수도도 끊기고 전기도 끊기고 모두가 좀 어려운 상황이었다고 생각해요. 라이프라인이 멈추거나. 단지, 3년 지난 지금은 역시, 결국 스포트라이트가 비춰지는 것은 알기 쉽게 말하면 집을 잃고 가설주택에 살고 있는 사람들이고, 그런데 가설 주택이 아니고 미나시 주택(민간 자본으로 만든 가설주택)에 살고 있어서 좀 더 스포트라이트가 비춰지지 않는 사람들도 있어요. 역시 구마모토 지진과 아직도 싸우고, 마주하고 있다고 생각해요.

지금은 어느 정도 라이프 라인도 의외로 곧 돌아왔고, 일도, 사람들과의 관계 같은 사생활도. 하지만 별 변함없는 사람들과 (그렇지 못한 사람들과) 차이가, 거리가 있었다고 생각해요. 나는 딩시 마시키에 실었지만 지금은 시내에 실아요. 당시 쿠로다 씨가 막 이전했던 켄군이라는 동네에 있는 갤러리 그 근처에 사는데요. 그곳도 처음에는 갤러리 바로 옆의 대형마트가, 산리브라는 건물이었는데 무너지면서 아케이드 상점가에 큰 피해가 있었어요. 그래도 역시 그것도 지금 새로 다시 지어서, 동네도 깨끗해졌고요, 꽤 안정된 것 같아요. 하지만 조금만 차를 달려 여기부터 하나타테, 누야마즈, 그리고 마시키 동네로 들어가는데요, 가보면 역시 전혀 달라요.

Q. 지진 후에 일상으로 복귀하는 과정에서, 예술가들이 스스로의 정체성으로 복귀하는 것이 쉽지 않은 물리적 환경일 수 있는데, 그런 환경에서 예술가로서 어떤 생각을 하게 되었는지요.

A. 나의 경우 지진이 있고 나서 대략 일주일 정도 후에 사진전을 결정했어요. 뭐랄까, 단지 자기자신을 위한 표현인 예술활동이라고 하면, 당시에는 조금 켕기는 게 있었다고 할까. 우선은 생활이라든지, 곧바로 돈이 될 만한 것이라든지 하는 분위기였으니까요. 켄군의 갤러리 아두에서의 마지막 클로징 파티가 있었을 때에도, 모두 해방되고 싶었다고, 자기 안에 눌러 놓았던, 우선은 예술을 논할 때가 아니잖아 하는데도, 하지만 자신은 역시 아티스트인데 하면서, 지금이야말로 할 수 있는 표현이 있는 것처럼, 해방된 느낌이 있었어요. 이야기를 다시 구마모토 사진전으로 돌리면, 나는 아마 구마모토 사진전을 했기 때문에 그것으로 굉장히 충만해졌다고 생각해요. 거기서 정말 훌륭한 동료를 만날 수 있었기 때문에, 동료와 정말 이렇게 좋아하는 사진을 통해 여러 가지 이야기를 나누거나 사진을 찍고, 이재민을 만나서 이야기를 나누고요. 사진 활동을 하지 않았다면 이재민과 마주할 기회가 없고, 이야기할 수 없고, (그들의 상황을) 알 수 없으니 그런 것들이 정말, 뭐랄까, 거기서 굉장히 채워진 느낌이었어요. 굉장히 힘든 일도 있었고, 슬픈 시간도 있었지만, 지금도 물론 슬프지만, 왠지 모르게 정말 많이 구원을 받았어요. 그래도 역시 예술이구나 하는 생각, 사진으로 사람을 치유하고 싶다는 마음이 있었어요. 구하고 싶고, 구하고 싶다고 할까, 역시 구마모토를 걱정해 주는 사람, 구마모토에서 힘쓰고 있는 사람들에게 정말 고맙다는 말을 하고 싶었기 때문에, 뭔가 그런 것으로 채워진 것이 아닐까요. 제 경우에는. 아티스트로서는. 네, 그 활동 덕분에요.

타케시의 경우

저는 1965년생으로, 현재54세[*]이고요, 이 동네에서 태어나서 고등학교 졸업할 때까지 이 동네에서 자랐고, 대학은 도쿄에서 다녔어요. 그 후에 다시 구마모토의 이 동네로 돌아왔지요. 저는 오모키 빌딩이라는 집안 대대로 물려받은 건물을 소유하고 있어요. 우리 집안은 대대로 옻칠을 가업으로 이어오는 집이었어요. 옛날, 에도시대에는 검의 칼집 있잖아요, 칼집에 옻칠로 장식을 하곤 했기 때문에, 그런 일을 하는 장인 집안이었다고 해요. 메이지 시대가 되어서, 100년도 더 이전부터 일본이 근대화하면서 검을 사용하지 않게 되었잖아요. 그 시절부터는 사발이나 찬합 같은 것에 옻칠을 해서 칠기를 만들게 되었다고 해요. 우리 오모키 집안은 100년 전쯤 다이쇼 시대가 시작되면서 이 곳 카미도오리로 이사해 와서, 칠기를 파는 장사를 했어요. 제2차 세계대전 때는 옻칠의 원료가 되는 옻을 구하는 것이 어려워져서, 대대로 이어져 오던 옻칠을 그만두고, 구두장사를 했다고 해요. 제가 태어난 1965년에는 이미 구두가게였어요. 제가 중학교에 입학할 무렵까지.

그러다가 1977년, 1978년 정도에 구두 장사도 그만두고, 오모키 빌딩에서 임대업을 했어요. 2016년 구마모토 지진이 발생하기까지지요. 가업은 그런 쪽이었지만, 저는 대학을 졸업하고 평범하게 회사에 취직했어요. 지금도 회사원이에요. 그러니까 저는, 집안의 일과 회사일 두가지, 투잡하는 사람이나 마찬가지에요. 개인적으로는, 역시 나는 이 거리에서 자랐기 때문에, 동네가 더욱 재미있어지면 좋겠다고 늘 생각하고 있고, 어떻게 하면 더 살기 좋은 동네가 될까 늘 생각하고 있고, 그런 관점에서 동료들을 모아서 마을 만들기 활동이나 그런 일들을 하고 있어요.

Q. 오모키 빌딩의 주변이랄까, 이 동네는 백 년 전과 지금이 전혀 다른 모습일 거라고 생각하는데요, 옛날에는 어떤 동네였는지, 어떤 풍경이었는지요?

A. 아, 그래요, 뭔가 변한 부분도 물론 있고 변하지 않는 부분도 있는데, 그게 이 동네의 좋은 점이라고 생각해요. 우선, (시내 중심가임에도 불구하고) 의외로 이 동네에는, 우리집은 이 동네에서 산지 100년 되었는데, 그것보다 훨씬 전부터 장사를 해온 오래된 가게들이 골목골목마다 많아요. 제대로 오랜 역사를 지닌 곳이에요. 그래서 우리 할아버지 때에도 이웃과 교류가 있었고, 아버지 때에도 교류가 있었고, 내 세대에도 교류가 있어요. 동네 전체가 이렇게, 어디 누구, 어느 집 아들, 이런 느낌의 동네예요. 이런 시대에는 드문 곳이겠지요.

[*] 인터뷰를 진행한 것은 2019년이다.

Q. 여기는 시내 중심가이자 상당한 번화가인데도 불구하고, 그 안에서 백 년 이상 된 건물이 남아있고, 그런 교류가 남아있다는 것이 좀 특이한 것 같아요. 새로운 가게들, 대형 빌딩들이 세워지는 가운데 예로부터의 가게들이 있는 와중에 서로 사이좋게 지내는 것인가 하고 의문이 들어요.

A. 사실 그런 점이 이제부터 풀어야할 과제라고 생각해요. 오랫동안 장사를 해온 사람들이 있는 반면, 우리집이 그랬던 것처럼 장사를 그만두고 임대업으로 전환하는 집들이 많아지면서 마을의 변화에 대한 생각의 차이가 생겨요. 왜냐하면, 역시 거리가 달라지거든요. 장사의 시점이 임대를 위한 것으로 달라지니까요. 거리의 풍경이 어떤 식으로 달라지는가 하면, 어느 도시에도 있을 법한 거대 자본의 드럭스토어나 전국 체인의 카페 같은 것들이 늘어나게 되죠. 그렇게 되면, 이 동네, 카미도오리라고 하는데, 어디 다른 동네라고 해도 알아볼 수 없는 그런 풍경이 돼요. 이 동네만의 예로부터의 좋은 점을 알고 있는 저로서는 그게 좀 쓸쓸해요. 그래서 이제부터 마을 만들기를 어떻게 할 것인가 생각하는 참이에요.

Q. 아마도, 100년이라는 긴 시간을 지닌 장소, 건물을 소유한 사람으로서 애정이 있으니까 그런 생각이 가능한 것이 아닐까요. 살기 좋은 동네로 만들어보자고 생각하고 있던 그런 때에 2016년에 대지진으로 큰 피해를 입었죠. 정말 괴로웠을 거라고 생각하는데요, 생활도 힘들고, 모두가 일상으로 복귀하는 것도 힘들었겠죠. 오모키 빌딩도 100년의 역사를 지켜내지 못하고 철거가 결정되었죠?

A. 그렇죠. 지진은 말이죠, 물론 저도 그렇지만 구마모토는 그렇게 지진이 일어나는 곳이 아니라는 식으로 모두 생각하고 있었어요. (구마모토 지진보다) 몇 년 전에 일어났던 동북대지진도 뉴스로 보았고, 아 지금 힘들겠구나 생각하는 정도였고요. 그런데 역시 우리 동네에서 일어나니까 전혀 다른 느낌이고, 정말로 놀랐죠. 그것도 이틀에 걸쳐서, 진도 6,7의 지진이 두번이나 왔기 때문에, 정말 생각지도 못한 큰일이었어요. 오모키 빌딩은 오래된 빌딩이니까, 빌딩이라고 해도 목조건물이지만요. 엄청나게 큰 데미지를 입었고요. 이대로는 상당히 위험하기도 하고, 임대할 수도 없으니까, 철거를 결정했어요.

Q. 스스로 결정했나요, 아니면 지진 후 정부로부터 안전성 검사를 받아서 결정했나요?

A. 아, 그것도 있어요. 피해 정도를 조사해서, 피해에 따라서 철거할 때 비용을 국가에서 보조해주는 것이 있어서요. 피해

검사를 받았고요. 오모키 빌딩의 경우는 데미지가 컸기 때문에 인정을 받아서 철거 비용 전액 부담을 해주었어요. 재건축 비용도, 그룹 보조금이라는 것이 있어서 도움을 받았고요.

Q. 철거 결정까지 시간이 꽤 걸렸네요?

A. 꽤 걸렸어요. 지진이 2016년 4월에 일어났는데, 철거를 한 것은 여름이 지나고 겨울이 지나고, 다음 해 봄, 2017년 2월경에 겨우 할 수 있었어요. 철거까지만 해도 시간이 걸렸죠. 왜 그런가 하면, 지금 생각해보면 배운 점도 있었지만, 나는 빌딩을 철거하고 싶은데, 원래 임대하고 있던 업주는 계속 장사를 하고 싶어했어요. 그래서 민사소송을 해야 했고, 결국 문제 해결에 반년이라는 시간이 걸렸고요. 그리고 지어줄 회사도 없었고요. 지진 후에 피해를 입은 큰 빌딩들이 많으니까, 그쪽을 재건축하는 게 돈이 되잖아요. 그래서 우리 같은 작은 건물은 할 여유가 없다고 거절당했어요. 더 큰 돈을 벌 수 있는 곳을 우선적으로 재건축을 하니까요.

Q. 공사를 거절당할 정도로 당시에 지진으로 피해를 입은 건물들이 많았던 거죠? 지진으로 인해서 재개발이 무섭게 진행되었다고 들었는데요.

A. 그건 그랬어요. 동네 전체를 보고 있으면, 이 지진이 일어났기 때문에, 우리도 그랬지만, 한번에 모두가 오래된 건물을 다 부수었고요. 그런 곳이 엄청나게 늘어났어요. 지금(2019년) 지진으로부터 3년 지났는데, 여기저기 모두 새로운 건물이 들어서고 있는 상황이네요.

Q. 지진으로 기반을 잃은 예술가들에게 예술활동을 지속할 수 있도록 협력하기도 하셨죠. 장소를 제공하거나 하는 식으로요. 재난 이후의 예술을 보면서 어떤 생각이 드셨는지요.

A. 역시 지진이 일어난 후에 (사람들의) 생활이 갑작스럽게 변했고, 당연히 가치관도 변해버렸어요. 제가 느낀 것은, 지금까지 많은 것을 누리고 살았다는 거예요. 주변에 물건이 넘쳐나는 생활이었죠. 물건처럼 형체가 있는 것은, 이번 지진처럼 큰 재난 한번에 잃어버릴 수 있어요. 정말 중요한 것은 물건을 소유하는 것보다, 사람과 사람이 모일 수 있는 것, 서로 연대하고 공유할 수 있는 것이 중요한 것이라고 느꼈어요. 지진 후 여러 장소에서 사람들이 모여드는 모습을 보고, 사람들은 물건보다 그런 걸 더 원했구나, 생각했어요. 재난 후의 예술은 형체가 없어도 그런 것을 감각하게 해주었어요. 무엇이 이렇게 사람과 사람을 이어주는 역할을 할까 생각했을 때, 저는 예술의 역할이 굉장히 크다고 생각했어요. 예술가들도 그런 것을 표출하고 싶은 마음이 컸을 거라고 생각해요. 지진

이후, 여러 가지를 잃어버린 사람, 잃어버림으로써 뭔가 새로운 가치관을 깨달은 사람도 많이 있었을 것이고, 그런 사람들이 역시 이렇게, 예술이 형태를 가지고 있지 않지만, 그런 것에 이렇게 느끼는 힘 같은 것이 있구나, 대단한 힘을 가지고 있구나 하고 생각했어요. 앞으로는 그런 것들이 중요하겠다는 생각이 들었죠.

Q. 오모키 빌딩 재건축에서도 그런 점을 고려했기 때문에 일반적인 임대 목적의 건물이 아니라 다양한 이벤트를 개최하기 위한, 그로 인해 사람들이 흥미롭게 모여들 수 있는 정원 형태의 카페를 건축한 것인가요?

A. 오모키 빌딩도 어떻게 할 것인지 고민이 있었죠. 저도 처음에는 오모키 빌딩이 지진으로 없어지고 다시 같은 볼륨의 빌딩을 다시 세우고, 또 이렇게 똑같이 임대 사업을 재개하는 것도 당연히 일반적인 흐름으로 생각했지만, 옛날 제 아버지 세대와는 달리 이제 더 이상 그런 건물을 짓지 않아도 되지 않나 해요. 아버지들의 세대와는 달리, 지금 세대는 이미 일본은 인구가 줄어들기 시작했고, 구마모토도 당연히 지금부터 인구가 줄어들기 시작하는 상황, 그런 단계에 있고, 과거 경제 발전 시기에 성공 모델이었던 임대 빌딩이라는 것을 새롭게 짓는다 해도 옛날과는 달라요. 구체적으로 말하자면, 이제 건축비가 몇 배나 더 들게 되었다는 거죠. 반면 임대료 시세는 예전에 비해 저렴해졌어요. 그래서 계산을 해보니 건물을 짓는 데 몇 억엔 단위의 돈이 더 필요하게 되었어요. 그래서 이 도시에서 받을 수 있는 임대료 시세를 생각하면, 만약 지금 건물을 지으면 내가 죽어도 그 건물을 지은 건축비를 다 갚지 못하는, 그런 인생이 남는다는 것을 알았어요. 그래서 만약 그런 건물을 짓는다면, 이제 임대료를 비싸게 책정해서 세입자를 찾아야 합니다. 그러면 어떤 곳이 세입자가 되느냐 하면, 아까 말씀드린 것처럼 큰 자본을 가진, 예를 들어 드럭스토어, 전국 체인점처럼 어느 도시에나 진출해 있는 그런 가게가 자기 건물에 세입자로 들어오죠. 하지만 그건 전혀 즐겁지도 않고, 재미도 없고, 신나지도 않고요. 그렇게 생각하다 보니 이제 앞으로의 시대는 그런 식으로 비즈니스를 하는 시대가 아니구나 하는 생각이 확고해져서, 그럼 그렇지 않은 형태로 만들면 어떨까? 라는 생각에 지금의 '오모켄 파크'의 형태가 된 거예요. 풀 스케일의 3층 건물을 짓지 않고, 1층짜리 단층 건물로 만들자고 했더니 건축비가 몇 분의 1로 줄어들었고요, 또 건물의 공간은 다운사이징해서 작아지는데, 반대로 말하면 건물이 아닌 오픈 스페이스가 굉장히 넓어지는 거죠. 그렇게 되면, 그만큼 넓어지고, 이렇게 자유를 얻게 된 거죠. 그렇게 넓어진, 자유로운 공간에서 이렇게 여러 가지 일을, 즐거운 일을 할 수 있다면, 왠지 그쪽이 더 좋겠구나, 함께 공유하면서 할 수 있지 않을까 하는 생각이 들어서, 지금의 장소가 생겨났어요.

단상과 기록들

메리아나

구마모토현 환경생활부 환경국에 의하면, 츠카하라 고분공원에 접하고 있는 메리아나는 약 9만 년 전에 아소산으로부터 분출된 아소 화쇄류[1] 퇴적물로 형성된 절벽아래 용수에 의해 침식되어 생긴 동굴로, 내부의 천정에서 물이 솟구쳐 나온다. 이 지역에서는 예로부터 이 물의 신을 섬기고 있어서, '마이리아나(参り穴)[2]'라는 말로부터

'메리아나(メリ穴)'라고 불려지게 되었다고 한다. 현지에는 '저녁 무렵 산 닭을 제물로 바쳐 동굴에 넣었더니, 다음 날 아침 우토시(宇土市)의 토도로키 수원지(轟水源地)[3]에서 울었다'라는 이야기가 전해진다. 메리아나 전설은 구전으로 전해지며, 에도시대에 편찬된 지리지 『히고국지 肥後国誌』[4]에는 메리아나의 유래에 관한 기록이 남아있다.

메리아나 동굴. 2016년 구마모토 대지진 이후 안전 문제로 인하여 지금은 출입이 금지되어 있다.

1) 화쇄류란, 화산쇄설류, 화산의 폭발로 인해 화산 가스, 화산재, 연기, 암석 등이 뒤섞인 구름이 고속으로 분출되는 현상을 말한다.
2) 신전에 참배한다는 의미인 '마이리(参り)'와 구멍, 동굴 등을 통칭한 '아나(穴)'의 조합어.
3) 메리아나로부터 토도로키 수원지까지 약 10km 가량 떨어져 있다.
4) 쇼와9년(1772년) 모리모토 이치즈이(森本一端)가 저술한 지리지.

히고테마리우타

「あんたがたどこさ」

あんたがたどこさ　肥後さ　肥後どこさ
熊本さ　熊本どこさ　船場さ

船場山には狸がおってさ
それを猟師が鉄砲で撃ってさ
煮てさ　焼いてさ　食ってさ
それを木の葉でちょいと隠せ

히고테마리우타(肥後手まり唄)는 일본 전역에 널리 퍼진 전래동요로, 어린아이들이 공놀이를 하면서 부르는 노래다. '히고'는 현재의 구마모토 지역에 세워진 고대 국가의 명칭이며, 노래의 배경이 된 장소는 현재 구마모토 시내를 흐르는 츠보이강의 '센바바시'라는 다리 부근으로, 역사적으로는 구마모토성에 들어가기 전 말을 씻던 강가로 알려져 있다. 가사의 내용이 센바에 출몰한 너구리를 사냥꾼이 잡아서 구워 먹었다는 다소 잔혹 동화에 가까운데, 이는 삼국유사에 기록된 고대 한국 민요 '구지가'에 등장하는 '거북아 머리를 내놓지 않으면 구워 먹으리'라는 구절과 그 잔혹성 정도가 크게 다르지 않다는 것을 감안할 때 고대 국가의 제의적 성격을 띤 구전 민요가 오랜 세월에 걸쳐 전승되는 사이 아이들의 공놀이 동요로 변용된 것이 아닌지 추측을 해본다. 현재 그 다리 위에는 기념비와 너구리 동상이 세워져 있다.

공을 들고 있는 너구리 동상. 센바바시(洗馬橋) 건너 교차로 위에 세워져 있다.

오모키 씨의 우물이야기

구마모토 시내 아케이드 상점가 카미도오리에는 오모키 빌딩이 있었다. 오모키 집안의 선조가 약 100년 전에 지은 건물이었다. 2016년 대지진 직후, 오모키 빌딩은 안전 검사를 통과하지 못했다. 건물 내부는 지진의 여파로 천장이 갈라지고 벽이 떨어져 나와 백년 전 건축 양식인 대나무 골조가 그대로 드러나 있었다. 오모키 집안의 장남 타케시는 빌딩을 철거하기로 결정했다. 건물을 해체하는 과정에서 건물 바닥 아래에 우물이 있다는 것을 알게 되었다. 시 당국에 연락해 수질 검사를 해봤더니, 놀랍게도 여전히 식수로 음용이 가능한 우물이었다. 지진에도 파괴되지 않고 남아있다니, 타케시는 이것이 기적 같은 일이라고 생각했다. 백 년 동안 건물 아래 조용히 잠들어 있던 우물, 우리 집의 역사. 타케시는 이 우물에 깃들어 있는 신성한 힘이 백 년 동안 우리 가족을, 이 땅을 지켜주었던 것일지도 모른다고 생각했다. 새로운 건물이 들어설 예정이었지만 타케시는 우물을 없애지 않고 새로이 펌프를 설치했다. 우물에서 퍼 올린 물은 백 년 동안 잠들어 있던 과거의 시간이었다.

오모켄 파크 재건축 당시 발견된 100년 전 우물은 펌프를 설치해서 현재도 사용하고 있다.

가와라마치

구마모토 성 아래, 시내 중심 번화가에 인접해 있는 가와라마치(河原町)는 태평양전쟁 이후, 1950년대 섬유산업이 부흥하던 시기에 섬유 도매상들이 국제무역을 하기 위한 야시장을 열면서 형성된 거리다. 그러나 섬유 산업이 점차 쇠퇴하면서 이 거리 역시 쇠퇴의 길을 걷기 시작했다. 거리에 들어찼던 상점들이 하나 둘 씩 문을 닫고, 폐업을 한 자리에 셔터를 내린 가게가 늘어나면서, '셔터거리'라는 별명도 붙었다. 과거에 이 곳에 건물들이 들어서기 시작할 무렵에는 불법 건축물을 짓거나 증축하는 경우가 많아서, 건물들이 경계를 두지 않고 다닥다닥 붙어있는 곳이 대부분이며, 땅문서나 집문서가 없는 경우도 많았다고 한다. 그런 연유로 한동안 함부로 철거를 할 수 없는 곳이었기 때문에 재개발이 쉽게 이루어지지 못했으며, 주변에 고층 빌딩이 속속들이 들어서는데도 불구하고 시간이 멈춘 듯 과거의 모습을 그대로 한 채로, 마치 버려진 동네처럼 도심 한가운데 남아있게 된다. 구마모토 지진 당시 화재로 절반가량 전소하였으나, 여전히 재개발을 하지 않은 채 셔터가 내려진 가게들 사이사이로 하나 둘 씩 작은 상점을 열어 놓고 명맥을 이어가고 있다.

성주신

집을 수호하는 가신(家神)의 하나로 성의 주인이라는 뜻의 성주에서 붙여진 이름이라고도 하고, 집을 성조(成造)한다는 뜻에서 성조신이라고 부르기도 한다. 성주신은 집을 지키는 신 중에서도 가장 상급의 신이다. 집안의 길흉화복을 관장하며, 집의 중심이 되는 대들보에 자리한다. 성주는 집안에 사망 등의 부정한 일이나 화재 등의 위험한 일이 생기면 집을 나가 버린다고 한다. 집을 나간 성주를 다시 모시기 위해서는 성주 굿을 하거나 안택(安宅)이라는 경문을 외우게 한다.[5] 영화 <신과 함께>에서 등장한 성주신(마동석 분)은 조직폭력배의 습격을 받아 신줏단지가 깨지자 소멸하는 것으로 그려지는데, 이는 실제 성주신에 대한 속설을 바탕으로 한다. 예로부터 농경사회였던 우리나라 풍습에서는 햅쌀을 단지에 넣어 대들보 위나 벽장 안에 숨겨두면 성주신이 쌀 단지 안에 깃들어 지낸다고 믿었으며, 이 단지를 부르는 이름이 '성줏단지'에서 '신줏단지'로 변하며 전해 내려왔다고 한다. 흔히 말하는 '신줏단지 모시듯'이라는 관용구는 단지가 깨지면 성주신이 지낼 곳이 없어져 집을 나가기 때문에 깨지지 않도록 조심스럽게 다루어야 한다는 것을 뜻하는 말이다.

5) 한국민족문화대백과사전과 국사편찬위원회 우리역사넷에 등록된 '성주신' 뜻풀이를 참고하여 요약한 내용이다.

거울과 구슬

2023년 7월경 《애프터랜드》 프로젝트의 사전답사에서 찾아갔던 아소산 기슭 명승지, 타카모리전 삼나무(高森殿の杉) 아래에는 유리구슬이 고이 모셔져 있었는데, 일 년 뒤 2024년 7월경 다시 방문했을 때는 이 구슬들이 대부분 사라지고 없었다. 유리구슬에 대해 현지인들에게 물었더니, 신에게 소원을 빌면서 바치는 공물이었을 것이라는 얘기를 듣게 되었다.

일본의 토속 신앙은 신사를 중심으로 계승되고 있다. 신사에서는 신체(神体)를 모시는 데, 이는 거울, 검, 곡옥(曲玉)[6]으로 일본 신화에 등장하는 세 가지 신기(神器)[7]로 여겨지는 물건이다. 그 가운데서도 거울이 가장 일반적으로 신사에 모셔진다. 거울은 태양의 신 아마테라스와도 연관이 있고, 또 햇빛을 반사하기 때문에 성스럽게 여겨진다. 이런 이야기를 들으면, 영화 밀양의 여주인공 신애(전도연 분)가 아들을 살해한 범인이 교도소에서 주님을 따르며 교화하였다는 이야기에 배신감을 느껴, 교회 집사의 약국을 찾아가 따지며 말하던 장면이 연상된다. "한 줌의 햇빛 속에도 그분이 계시잖아요."

인간은 성스러운 무엇인가가 한 줌의 햇빛 속에 깃들어 있다고 여겼던 것 같다. 거울, 한 줌의 빛이 가진 신성한 의미는 속세의 인간에게 구슬이라는 형태로 일반화된 것이 아닐까, 생각해 본다. 신체로 모시는 곡옥 역시 반드시 옥이 아니라 유리로 만들어진 것도 있어서, 유리구슬의 일종으로 간주하기도 하는데, 어쩌면 곡옥을 대신하는 것일지도 모르겠다. 어쨌거나 인간은 성스러운 장소를 찾아 기도를 올리고, 무엇인가를 염원하며 공물을 바치는 대신 구슬을 놓아두기도 하는 것이다. 실제로, 소원이 이루어졌다고 믿은 사람이 다시 그 장소에 가서 소원이 이루어진 구슬을 수거하고 새로운 소원을 빌기 위해 구슬을 바꾸기도 한다는 이야기도 있다.

신께 소원을 빌며 공물 대신 유리구슬을 놓아두기도 한다.

6) 곡옥(曲玉)이란 한국과 일본 등지에서 출토되는, 머리에 구멍이 뚫린 초승달모양의 구슬 또는 장신구.
7) 삼종신기(三種神器)로 부른다. 일본 건국 신화에 등장하는 이자나기와 이자나미 사이에서 태어난 태양의 신 아마테라스와 동생 스사노오와 관련된 것이다. 신화 속에서 거울은 빛이다. 아마테라스가 스사노오에게 분노하여 동굴 속으로 숨어들어 나오지 않자 세상이 어둠에 휩싸이게 되었다. 세상의 빛을 되찾고자 다른 신들은 아마테라스를 꾀어내기 위해 동굴 입구에서 노래하고 춤추며 떠들썩한 분위기를 만들었고, 이를 궁금히 여긴 아마테라스가 얼굴을 조금 내밀었을 때, 거울을 내밀어 아마테라스를 비추자 이에 흥미가 생긴 아마테라스가 동굴 밖으로 나오게 되어 세상에 빛이 돌아왔다고 전한다. 검은 쿠사나기 츠루기의 검이라 불리는 데, 스사노오가 머리가 여덟개 달린 뱀 야마타노오로치를 퇴치할 때 꼬리를 베고 츠루기의 검을 얻었다고 한다. 스사노오는 이 검을 신성한 검으로 여겨 아마테라스에게 헌정한다. 곡옥에 관해서는 스사노오가 아마테라스에게 받은 곡옥을 꿰어 만든 구슬 목걸이를 씹었다가 뱉어내었더니 일본 천황의 조상이 만들어졌다고 전한다.

오가타 씨의 친구 모리모토 군

그때 내가 몇 살이었더라, 스무 살이었나, 스물다섯, 여섯, 아니 일곱이었나. 그 정도 나이였을 때였어요. 모리모토 군이라는, 음악하던 친구하고, 이노우에 군이라는, 연극하던 친구하고, 나하고. 심령 장소를 순회해볼까 하는 이야기를 하고는, 서너 군데 정도 돌았던 것 같아요. 나는 한군데만 따라갔고, 나머지는 얘기만 전해 들었어요. 지난번에 우리가 드라이브했던 '붉은 다리' 알죠? 구마모토 지진 때 무너져서 지금은 신축 교량이 건설되었는데, 지진으로 무너지기 전에 원래 있던 다리를 '붉은 다리'라고 불렀더랬어요. 그러니까, '붉은 다리'였던 시절에는 그곳이 자살 명소였어요. 붉은 다리를 건너면 대학교가 있었는데요, 지진으로 다리가 무너져 내리는 그 순간에, 마침 그 대학교 기숙사에 살던 학생이 건너고 있었대요. 다리와 함께 그 학생도 같이 떨어져서 죽었어요. 거기랑 또 한군데가, 폐병원. 귀신이 나올 것 같잖아요. 그리고 또 한 곳이 타바루자카(田原坂)[8]라는 곳인데, 무덤이 가득한 유적지예요. 아무래도 역사적 전투의 마지막 격전지였던 곳이고, 거기는 신령이 지키는 신성한 장소라는 이야기도 하거든요. 그때 당시 이노우에 군이 제안한 것이, 5엔짜리 동전 던지기였는데, 인연을

말하는 '연'하고 발음이 똑같으니까,[9] '연'이 있게 해주세요, 라는 기원의 의미를 담은 것이었어요. 그런데, 모리모토 군이 자기가 직접 만든 베이스 기타를 가져와서는 마구 쳐대기 시작했어요. 5엔짜리 동전을 던지면서 말이죠. 거기서 꺄아 꺄아 소리 지르면서 뛰어다니고. 말하자면 큰 소리로 떠들고 소음을 내고 동전을 여기저기 마구 던지면서 난장판을 친 거죠. 타바루자카는 전쟁에서 전사한 병사들을 모신 무덤이 잔뜩 있는 그런 곳인데, 그런 난리를 쳐 댔으니, 신령님이 화날 법도 했나 봐요. 갑자기 모리모토 군의 목뒤에서 커다란 혹이 나기 시작했어요. 정말이에요. 믿어주세요. 실화라니까요. 진짜로 원인불명의 혹이 튀어나왔어요. 병원에서도 원인을 알 수 없다고 했다고요. 우리 모두 걱정도 되고 무섭기도 하고. 타바루자카를 지키는 땅의 정령이 노하신거야. 틀림없다고. 우리는 모리모토 군에게 살풀이를 하러 무당에게 가야 한다고 했어요. 결국 갔었나… 기억이 잘 나지 않지만요. 아무튼 나중에 시간이 지나서 원래대로 돌아왔어요. 타바루자카에서 그렇게 소리지르고 뛰어다닌 바로 그 다음 날 목뒤에 커다란 혹이 튀어나오다니. 신성한 장소에서 시끄럽게 굴었으니 잘못한 거죠. 그런 일이 정말 있더라, 하고 신기했어요.

풍장[10]

풍장터는 죽은 자가 마지막으로 정화되는 장소였다.
몸에 차 있던 액체나 살이 다 사라지고,
뼈만 남아 저 세상으로 떠나는 과정을
타인이 보는 일은 용납되지 않았다.[11]

요코아나무덤군

구마모토현 일대에서 흔히 볼 수 있는 요코아나무덤(橫穴墓)은 언덕이나 절벽의 경사면을 수평으로 파낸 구멍에 시신을 안치시키는 방식의 무덤이다. 구멍을 닫지 않고 개방해 두는 것으로, 여러 개의 구멍이 모여서 군집을 이루어 형성되어 있는 경우가 많다. 대개 6-7세기경에 만들어진 것으로, 아소산 분화 시 형성된 용암 절벽에 많이 분포하고 있다. 요코아나무덤이 개방된 구멍의 형태라는 점과, 또한 군집을 이루고 있는 곳의 주변 환경을 고려해볼 때, 풍장을 위한 무덤이 아니었을까 추측해볼 수 있다. 비, 바람, 햇빛, 물, 흙, 아소산 일대의 지형적 조건 등 시신의 풍화에 적합한 환경 요소를 갖추고 있기 때문이다. 물과 땅과 생명의 순환과 같이, 죽은 자는 풍화되어 바람이 되고 흙이 되고 물이 되고 비가 된다.

반복의 땅

만약 반복이 죽음을 가져온다면
구원과 치유를 가져오는 것
또 무엇보다
다른 반복을 치유하는 것도
역시 반복이다.
그러므로 반복 안에는
타락과 구원의 신비한 유희
죽음과 삶의 연극적 유희
질병과 건강의 긍정적 유희가
동시에 존재한다.[12]

물 속에서 전투하는 사무라이 영법

코보리류토스이쥬츠(小堀流踏水術)라는 이름의 무술이자 영법. 갑옷을 입은 채로 물속에서 전투를 벌이기 위해 고안된 영법이다. 에도시대에 구마모토번사(藩士)[13] 코보리 쵸준(小堀長順)이라는 자가 확립시켰다고 전해지는데, 현재에도 무예로서 전승되어 오고 있다. 유속이 센 편인 시라카와[14]에서 만들어졌기 때문에 물을 밟는 듯이 서서 헤엄치기 위한 강한 힘이 필요한 것이 특징이다. 지금도 강습회 등이 열리고, 일 년에 한 번 코보리류토스이쥬츠 선사제(小堀流踏水術先師祭)가 열리고 있다.

---

8) 1877년 일본의 마지막 내전인 세이난 전쟁에서 17일간 전투가 일어난 격전지.

9) 일본어로 5엔짜리 동전은 고엔(5円、ごえん), 인연을 의미하는 '연'은 고엔(ご縁、ごえん)으로 읽는 법이 동일하다.

10) 시신이 바람에 풍화되어 자연적으로 소멸하게 하는 장례의식.

11) 메도루마 슌, 「바람소리」, 『물방울』, 유은경 역, 문학동네, 2012, 103쪽.

12) 질 들뢰즈, 『차이와 반복』, 김상환 역, 민음사, 2004, 35-36쪽.

13) 번은 1만석 이상의 소출을 내는 영토를 보유한 봉건영주 다이묘가 지배하는 영역을 말하며, 번사는 에도 시대 각 번에 소속된 사무라이와 그 구성원을 가리키는 용어이다.

14) 구마모토 시내를 흐르는 강.

미즈시마

구마모토 근교 타마강 하구에는 '미즈시마(水島)'라는 이름의 무인도가 있다. 일본서기(日本書紀)에 기술된 바로는, 게이코천황(景行天皇)이 규슈 지방에 행차하였을 때, 이곳에서 휴식을 취하며 식사를 하려던 차에 물이 없어, 소좌라고 하는 자가 신에게 기도를 올렸더니 깨끗한 물이 솟아올라 그 물을 떠서 천황에게 바쳤는데, 이 일화로 인해 '미즈시마(물의 섬)'라는 이름으로 불리게 되었다고 한다.[15] 또한, 나라시대의 관리로 츠쿠시(筑紫)에 파견된 나가타 오오키미(長田王)가 미즈시마를 노래한 일본가 두 구가 만엽집(万葉集)[16]에 수록되어 있다.

「聞きしごと　まこと貴く　くすしくも　神さび居るか　これの水島」
(전설로 들은 대로, 정말 성스럽고, 얼마나 신성한 모습인가, 이 곳 미즈시마는.)

「芦北の　野坂の浦ゆ　舟出して　水島に行かむ　浪立つなゆめ」
(아시키타의 야사카 포구에서, 배를 몰고, 미즈시마에 건너가련다.
파도여, 휘몰아치지 말아다오.)

일본서기 7권, 게이코천황 18년 4월 18일, 일본 국립 디지털 아카이브 제공

신께 기도를 드렸더니 물이 솟아올랐다는 미즈시마.

15) 『일본서기』, 권7, 경행천황 18년 4월11일. 일본 국립 디지털 아카이브 제공. https://www.digital.archives.go.jp/item/4262994.html
16) 7세기 후반에서 8세기 후반에 걸쳐서 만들어진 책이며, 일본에 현존하는 고대 일본의 가집(歌集)이다. 수록된 노래는 45000여수이며, 천황과 귀족 뿐 아니라 알려지지 않은 일반인의 노래까지 다양한 신분의 사람들의 이야기를 읊은 노래들이다.

미즈아카리

불, 물, 대나무의 자연 자원 순환과 활용을 위해 지역 주민이 참여하는 빛의 축제이자 공공 프로젝트다. 구마모토에서는 매년 숲의 생태를 유지하기 위해 무분별하게 번성한 대나무를 솎아내야 하는데, 이 때 솎아낸 대나무를 그대로 폐기하지 않고 에너지 자원으로 재활용하기 위하여 석탄으로 가공하는 공공사업을 수행하고 있다. 이에 주목한 시민 단체와 관공서가 석탄으로 가공되기 전 대나무를 수거하여 지역주민과 함께 대나무 등불을 만들고, 이를 구마모토 성을 둘러싼 츠보이 강에 설치하는 '미즈아카리(みずあかり)' 축제를 연다. 축제가 끝나면 대나무 등불은 다시 수거되어 석탄으로 가공된다. 대나무 등불 제작, 설치, 당일 운영, 뒷정리까지 이 모든 과정은 지역 기업, 시청 및 현청 직원, 자위대, 학생, 일반 시민 등 총 6,000여 명의 자원봉사자의 협력으로 이루어진다.

오구니 수증기 마을

아소산 북쪽, 연중 땅 밑에서 수증기가 뿜어져 나오는 마을이 있다. 땅이 따뜻하니 아소산의 깊은 산 속 추위와 폭설을 피해 천년도 더 오래전부터 부락이 형성되었다. 이 마을에서는 지열(地熱)을 사용해서 난방을 하고, 문 앞에 찜기를 두어 야채나 달걀을 삶는다고 한다. 목재 건조 창고에는 'CO2 배출 제로'라고 간판을 내걸었다. 그야말로 에코-프렌들리 마을이다. 화산활동이 선사하는 파괴와 창조, 생과 사의 순환 속에서 천연의 에너지 자원을 선사 받은 땅.

미즈아카리 운영 단체의 공방에서 대나무 등불을 수공예로 제작하고 있다.

수증기가 뿜어져 나오는 마을, 오구니의 와이타온센쿄.

대나무 등불이 설치된 후의 미즈아카리 풍경.

집집마다 지열을 이용해 조리를 하는 찜가마(蒸し場)를 문 앞이나 마당에 두고 야채나 달걀을 찐다.

불의 나라, 물의 나라

구마모토 지역의 중심에는 아소산이 있다. 아소산은 여전히 유황 가스를 내뿜으며 활동 중인 활화산이다. 태초부터 구마모토는 불의 나라였다. 그런데, 불의 나라 구마모토는 물의 나라이기도 했다. 무슨 연유인가?

아소산 기슭에서 아리아케해에 걸친 구마모토현 중부는 수십만 년 전부터 몇 번 분화한 화산재가 쌓여 생긴 물을 통과하기 쉬운 지층이 있어 지하의 구조가 큰 물항아리처럼 되어 있다. 현에 의하면, 현 중부의 11시정촌 수도의 수원은 거의 100%가 지하수다. 식용수 우물이 많아 상수도 보급률은 87.3%(2016년 3월 말)로 47개 도도부현 중 가장 낮다. 이런 연유로 '물의 도시'로 불리는 구마모토시에는 '스이도초(水道町)', '스이젠지(水前寺)' 등 '물'이 들어간 지명이 많다. 갑옷을 입은 채로 물속에서 싸우는 '코보리류토스이쥬츠'는 히고(肥後) 호소카와번(細川藩)이 권장한 것으로 알려져 현의 중요 무형문화재로 지정되어 있으며, 2013년에는 수자원의 보전 관리에 힘쓰는 도시나 기관을 표창하는 유엔의 '생명의 물' 최우수상에 일본 최초로 구마모토시가 선정되기도 했다.[17]

구마모토시 환경국에 의하면, 구마모토 지역에 지하수가 풍부한 이유를 크게 3가지 들 수 있는데,[18] 그 역시 아소산에 기인한다. 첫 번째는 지하수분(地下水盆)[19]이다. 구마모토현 일대 백만 제곱미터(행정구역으로는 구마모토시, 고시시, 오오즈마치 등)에 달하는 범위의 지역에 걸쳐 지하수가 침투, 집적되는 거대한 수분(水盆)이 형성되어 있다. 아소 칼데라 서측 외륜산의 산록 지대로부터 구마모토 평야의 지하에는 지하수가 빠져나가기 어려운 기반암이 두껍게 형성되어 있어 넓고 깊은 분지 형태의 지하 구조이기 때문에 빗물이 대지에 모이게 되고, 지하수를 침투시키기 쉽다. 두 번째는 지층 구조다. 아소 화쇄류 침적물, 토가와 용암, 사암층, 신기 화산재 등 지하수 침투 및 저장이 쉬운 지층이 형성되어 있다. 아소 칼데라 형성 전에는 총 4차례의 대분화가 있었고 이 때 분출한 대량의 화산재가 단단하게 굳어 만들어졌다. 분출된 용암의 상부는 균열이 발달해 있어 지하수를 대량으로 저류[20]시키기 쉬운 성질을 갖는다. 세 번째는 풍부한 강수량이다. 아소산 주변은 일본 전역에서도 강수량이 많은 지역이다. 도쿄의 평균 강수량이 연간 1,528.8ml인데 비해 아소산 정상은 연간 3,206.2ml, 계곡이 2,831.6ml을 기록하고 있고, 외륜산[21] 기슭의 대지와 평야에서도 전국 평균치인 1,690ml 보다 강수량이 많으며, 키쿠치 지역에서는 2,200ml, 구마모토시에서는 1,985.8ml를 기록하고 있다. 이렇게 풍부한 강수량은 구마모토 지역의 지하수원이라고 할 수 있다.

몽키 D.루피와 쵸파와 상디, 브룩, 조로, 나미, 로빈, 우솝, 프랑키, 진베

구마모토 지진 직후인 2016년 4월 17일, 구마모토현 출신의 만화가 오다 에이치로(尾田栄一郎) 씨로부터 "반드시 도와주러 갈게"라는 메시지가 도착했다. 구마모토 지진으로 큰 피해를 당하고 재난 복구와 부흥에 주력하던 구마모토현 정부는 이 메시지를 구마모토 부흥의 원동력으로 삼기 위해 만화 '원피스(ONE PIECE)'와 연계한 'ONE PIECE 구마모토 부흥 프로젝트'를 시작했다. 2018년에는 오다 씨의 현민 명예상 수상을 기념하여 만화가로서의 업적과 부흥의 상징으로 루피 동상을 구마모토 현청에 설치했다. 2019년도부터는 <밀짚 일당 '불의 나라' 부흥 편>으로 현내 9개 시정촌에 밀짚 일당의 동상을 4년에 걸쳐 설치했다. 현재 몽키 D.루피와 쵸파와 상디, 브룩, 조로, 나미, 로빈, 우솝, 프랑키, 진베의 10개 동상이 세워져 있다.

17) 스기야마 아유무, 이케가미 모모코, "구마모토의 은행, 주차장에 우물을 만든 이유는", 아사히신문, 2017.6.19. https://www.asahi.com/articles/ASK6F6K8QK6FTLVB014.html
18) 구마모토현 환경생활부 환경국, https://www.kankyo-kumamoto.jp/mizukuni/kiji003583/index.html
19) 하나 이상의 대수층으로 되어 있는 수리(水理), 지질상의 구조역(構造域). 지하수가 모여드는 범위. 대부분의 경우는 산으로 둘러싸인 평야나 분지가 지하수분이 됨.
　　 출처: 한국상하수도협회 용어집, https://www.kwwa.or.kr/kr/onomasticon/dictionaryList.do
20) 원유나 천연 가스 등이 지하에 모여 쌓이는 일.
21) 복식 화산에서 중앙의 분화구를 둥글게 둘러싸고 있는 산.

일본의 은행이 주차장에 우물을 만든 이유는?

히고은행은 2017년에 현내 10개소에 생활용수를 끌어올리는 방재용 우물을 만들었다. 모두 수동식이며, 1회당 1.2리터의 물이 나온다. 재해 시 인근 주민에게 개방할 수 있도록 주차장 등에 설치했다. 초중학교의 방재 및 환경 학습 교재로 활용하는 방안도 고려하고 있다고 한다. 이러한 배경에는 지난 2016년 대지진 당시의 경험이 있었다. 지난해 4월 구마모토 지진 당시 히고은행 39개 지점에 물이 끊겼다. 빗물을 모아두었던 본점과 관련 기업에서 9일 동안 약 1만7천5백리터의 물을 운반해 왔다. 담당자는 "식수는 공급받을 수 있지만, 화장실을 사용할 수 없다. 생활용수의 필요성을 절실히 느꼈다"고 말했다.

물의 도시 구마모토에서는 지진 당시 각지의 수도관이 파손되었다. 4월 16일 본진 직후는 시내 전역에서 최대 약 32만 6천 개의 수도가 단수되었다. 길게는 17일간 수도를 사용할 수 없었던 곳도 있어, 시내 11개 기업이 무상으로 우물물을 제공했다. 도시락과 반찬을 제조 및 판매하는 기업 히라이는 구마모토와 후쿠오카, 사가, 오이타현에 140개 매장을 직영하고 있다. 구마모토시 니시구에 있는 히라이 본사 공장에는 우물이 두 개 있는데, 20~30년 전에 설치한 음료용 우물로, 요리를 하거나 설거지할 때 사용한다. 매달 전문 업체로부터 수질 검사를 받고 있다. 구마모토 지진 발생 후 며칠 동안 인근 주민들이 우물물을 구하기 위해 공장에 찾아왔다고 한다. 또, 근처에서 바이올린 교실을 운영하는 히로세(51) 씨도 집이 단수됐다. 식수는 지인에게 페트병을 배달해 달라고 부탁하는 등, 화장실 물 등에 어려움을 겪어 1주일 정도 물을 받으러 다녔다고 한다. 히로세 씨는 "정말 다행이다" 라며, "더 이상 큰 지진이 일어나지 않을 것 같지만, 만약 지진이 일어나도 어떻게든 대처할 수 있다는 안도감이 있습니다"고 말했다.

재난 이후, 구마모토의 기업과 지자체가 방재 협력에 힘을 모았다. 시는 올해 5월, 재해 시에 우물물을 제공받을 수 있도록, 50개의 기업이나 병원 등과 협정을 체결하였다. 절반 이상이 연간 3만 세제곱미터 이상의 물이 나오는 대형 우물을 보유하고 있다. 음용수와 생활용수로 구분하여, 재해 시 생활용수는 즉시 공급하는 한편, 음용수는 수질 검사를 거쳐 안전성 확인 후에 공급한다. 시수보전과의 스도 미사 주임은 "조금씩 제공처를 늘리고 싶다. 평소에도 (주민들이) 우물 위치를 알고 있으면 좋겠다"고 전했다.

물순환을 연구하는 구마모토 대학의 시마다 준 명예교수는 시와의 협약의 의의에 대해 "안전성에 대한 불안감이 있어 우물을 가지고 있어도 제공을 주저하는 기업도 있다. 행정기관이 시스템을 만들어 수질 검사를 담당함으로써 원활하게 대응할 수 있다"고 말했다. 시마다 명예교수에 따르면, 이러한 '방재용 우물'은 1995년 한신 대지진 이후부터 주목을 받아왔다. 오이타현 연안부에서는 남해 트로프 지진에 대비하기 위해 사에키시가 54개소, 쓰쿠미시가 47개소의 우물을 나열할 수 있는 지도를 만들었다. 오이타시도 347곳을 '재해 시 시민 개방 우물'로 등록해 홈페이지에 공개하고 있다. 후쿠오카현 히로카와마치에서는 2013년부터 재해 시 개방하는 개인 주택 등의 우물을 행정구역별로 1~2곳씩 총 40곳을 선정해 표지판을 세우는 등 홍보하고 있다.

스기야마 아유무, 이케가미 모모코 , 아사히신문, 2017.6.19. 기사 발췌 및 요약
https://www.asahi.com/articles/ASK6F6K8QK6FTLVB014.html

TSMC 신공장 설립, 물의 위기

구마모토현에 대만의 반도체기업 TSMC가 공장 설립을 확정했다. 일자리 창출과 경제 효과의 이익을 점친 현 정부의 결정이었지만, '물의 도시' 구마모토가 보전해 온 '깨끗하고 풍부한 물'의 긴 역사가 위기에 처하게 되었다는 것이 중론이다. 구마모토가 상수원으로 지하수를 사용하고 있는 만큼, 일반 생활용수와 농업용수의 사용량에 비해 반도체 공장이 퍼 올리는 물의 양은 비교할 수 없을 정도로 어마어마하다. 수 백 수 천 년 누려왔던 풍부한 물 자원이 순식간에 고갈될 수도 있다는 것이다. 그 뿐만 아니라, 반도체 공장에서 생성되는 오염수 처리와 관련된 불안도 지울 수 없다. 각계의 전문가가 TMSC의 오염수 처리 시설이 신뢰할 만하다고 평가하고 있지만, 과거 '미나마타' 사건[22]을 겪었던 구마모토 지역에서는 여전히 공장에서 배출되는 오염수에 대한 불안을 떨칠 수가 없다.

* 관련기사들
· 대만 현지 문의 "환경문제 없다" TSMC 입지 주변 수질 (오누키 사토코, 아사히신문, 2023.10.24.)
· 거대한 반도체공장이 사용하는 물 "거의 마을 하나 분량", 지하수 고갈에의 불안이 쌓이다 (와타나베 준키, 아사히신문, 2024.11.3.)
· 일본인이 모르는 "구마모토 물이 대단해" 진짜 이유, 대형반도체제조기업도 주목한 물보전시스템 (하시모토 료지, 동양경제, 2022.2.24.)
· TSMC구마모토신공장, 대량의 물사용에 불안의 목소리 "농가의 노력을 협찬금으로" (후지타 카오리, 2024.1.10, 일경비즈니스.)
· TSMC키쿠요마치 제2공장에서 약 800만톤의 지하수를 채집예정 (NHK TV 뉴스 보도, 2024.7.3 방송.)
· TSMC구마모토공장, 채집한 지하수 '75% 재사용' 물처리를 세분화하다 "물한방울에 4회 사용을 목표로 한다" (야마모토 후미코, 타테이시 신이치, 구마모토일일신문, 2024.11.5.)
· TSMC신공장, 물사용에의 불안 - 반도체공장에 묻는 자연 가치에의 대가 (후지타 카오리, 2023.12.27, 일경ESG.)

---

22) 1956년 구마모토현 미나마타시에서 신일본질소주식회사의 화학공장이 배출한 메틸수은이 미나마타만으로 흘러들어가 주민들이 집단적으로 중독되는 사건이 있었다.

구체로부터 보이는 기억

《구체로부터 보이는 기억 具体から見える記憶》

지진 피해로 철거가 예정된 건물에서 지진으로 기반을 잃은 구마모토의
예술가들이 모여 전시, 라쿠고, 퍼포먼스, 연주회, 아트숍 등을 열었다.

일시
2016년 8월16일~10월 15일 2개월간

기획
쿠로다 케이코

장소
카미도오리 오모키빌딩

《구체로부터 보이는 기억》 전시장 모습.

파괴로부터의 창조

《파괴로부터의 창조 破壊からの創造》

지진으로부터 1년 뒤, 지진 피해로 철거가 예정된 또 다른 건물에서
건축물을 캔버스로 하는 라이브 페인팅, 즉흥 연주와 춤 등의 퍼포먼스가 열렸다.

일시
2017년 3월 19일, 3월 20일

기획
쿠로다 케이코

장소
시모도오리 안경점

《파괴로부터의 창조》 포스터.

《파괴로부터의 창조》 퍼포먼스 모습.

애프터랜드, 두 번째 장소

고영찬

고영찬은 한 장소와 관련된 설화, 민속, 증언, 기록, 환상 등 다각도의 리서치를 통해 얻은 자료들을 재구성한
영상작품을 만들고 있다. 인간이 설계한 목적과 기능을 벗어난 혹은 애초에 그러한 가능성이 배제된
'제멋대로인 장소(unruly place)'를 재주술화하는데 관심을 둔다. 익숙하고도 일상적인 것에서 벗어나기 위해
우리의 예상을 비껴가는 장소를 찾거나 때로는 그러한 장소를 직접 만들어 내며 지도 바깥으로의 탈주를 시도한다.
개인전 《Ex-situ》(2022, 플랜비 프로젝트 스페이스), 《Paysages Dépaysés》(2020, 주프랑스한국문화원 온라인)를
비롯하여 《Vidéoformes》(2024, Maison de la Culture Boris Vian), 《골짜기》(2023, 상상마당 갤러리),
《GOOD BYE PHOTOGRAPHY》(2022, 더 레퍼런스) 등 다수의 단체전과 스크리닝에 참여했다.

접근을 허락하십니까?

1물
2물
3물
4물
5물
6물
7물
8물
9물
10물
11물

본능적으로 때를 감지한 동물들은
물을 건너기 시작한다.
'바다위의 에덴'
이 섬에 그들이 당도한다.

에덴 섬의 북서쪽 해안에 닿으면
시야에 들어오는 세 개의 무인도.
동물의 형상을 품어 '동물 삼총사'라 불리운다.

작은배를 모는 O는
바다 한가운데서 그물을 던져 멧돼지를 길어올리기도 했다.

일본 국왕 원의지가 바친 동물은
일찍이 조선에 없던 것이었다.
전 공조 전서 이우가 직접 가보고
그 꼴이 추함을 비웃고 침을 뱉었는데
짐승이 노하여 그를 밟아 죽였다.
병조 판서 유정현은 식량만 축내고 나라에 이익도 없는 것은
법으로 논하여 섬으로 유배 보내야 한다 진언했다.
그러자 임금이 웃으며 그대로 따랐다.

초식동물과 육식동물이 먹이사슬을 이루며
자연 속에서 공존하는 곳.
섬은 사파리가 될 운명을 부여받는다.

이것은 '쥬라기 공원'의 시놉시스가 아니다.

십리를 이어 줄지은 파수꾼들의 행렬.
섬 중앙의 낮고 평평한 땅은 팽나무 울타리의 보호를 받는다.

경계는 가두는 땅과 가두어지는 땅의 주권을 유린한다.
섬 안에 또 다른 섬을 만든다.

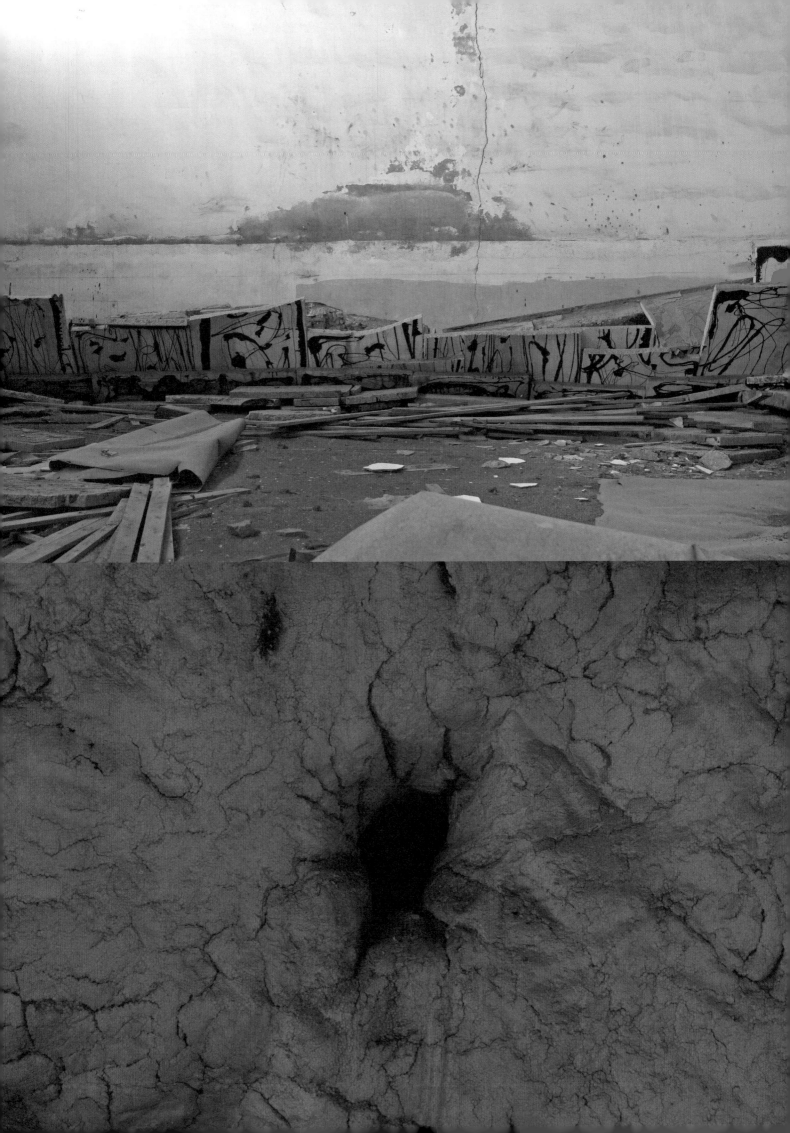

J는 물맛이 변하긴 했어도
집 우물에서 퍼낸 물을 가장 좋아한다.

섬에서는 물을 품는 땅을 성소로 여긴다.
사람들은 이 터가 물이 맑고 토질이 좋아
동식물 모두 잘 자란다고 믿는다.

문살에 늘뱀 세마리가 붙어있다.
J는 뱀을 떼어낸다.
그 중 한마리의 꼬리가 뚝 떨어져 뱀은 두 동강 나고,
살덩이 반토막은 창살에 옴짝달싹 않고 붙어있다.
J는 셋중 하나를 잃었다.

두 아이의 엄마 꿈에는 무엇이든 셋이 나왔다.

땅이 격하게 울리고
지상의 모든 신들이 하늘로 솟구친다.

삽질이 시작된다.
사람들은 땅에서 탐스러운 환상을 캐낸다.

관이 매입한 농터에는 도둑농사를 금하는 푯말이 박힌다.
평생 농부였던 사람들은 기꺼이 동물을 위해 터를 내어준다.

여전히 밟기 묘연한 땅들이 있다.

사파리 아일랜드 사업 연보

전라남도 도청 홈페이지 '정보공개'란에서 공유한 몇 가지 문서를 통해 도초도 사파리 조성 사업 계획의 발자취를 확인할 수 있다.

2007
2007년 '주요 업무 계획' 문서에 따르면 섬의 자연 문화유산을 활용한 관광자원 개발 계획 중 '갤럭시 아일랜드(Galaxy Islands)'라는 프로젝트를 통해 신안군 도초도 일원 600만 평 대지에 4,600억 원을 투자하여 야생동물 복원지와 산책로, 사파리를 조성할 계획임을 처음으로 밝혔다.

2011
2011년 '전라남도의회 부의안건 공고' 문서에서는 동물을 테마로 한 국내 최초 야생 사파리 조성을 위해 신안군 도초도 발매리 1394-3번지 외 483필지를 취득했다고 전했다.

2013
이후 2013년 '라디오 도정 홍보 방송' 문서 따르면 사파리 아일랜드 조성 사업이 문체부와 한국관광공사의 올해 유망 관광개발 투자유치 지원사업에 선정되어 사업 추진에 탄력을 받게 되었다고 밝혔다. 당시 토지 매입은 25%가량 끝난 상태였으며, 90여 종 2천 마리의 동물을 입식한다는 구체적인 수치도 전했다.

2014
2014년 '이낙연 도지사 취임 30일 기념 언론사 브리핑 자료'에 따르면 본 사업이 경제적 타당성을 이유로 전면적인 사업 재검토 대상이 되었음을 확인할 수 있다.

2020
2020년 '친절 봉사상 추천자 공개검증'을 통해 본 사업이 2014년 9월 중단되었고, 이후 특별한 사용 없이 방치되어 오던 땅을 전라남도가 아닌 신안군이 이어받아 그 활용 방안을 모색하고 있음을 공시했다.

1) · 전라남도청 홈페이지 정보공개란에서 다운받은 서류
  "070124_2007주요업무계획_최종.hwp", 41쪽, 2023. 10. 03. 다운로드.
· 전라남도청 홈페이지 정보공개란에서 다운받은 서류 "전라남도 공고 제2011-711호.hwp", 1쪽, 2023. 10. 03. 다운로드.
· 전라남도청 홈페이지 정보공개란에서 다운받은 서류 "130429 원음방송.hwp", 6쪽, 2023. 10. 03. 다운로드.
· 전라남도청 홈페이지 정보공개란에서 다운받은 서류 "이지사_취임1달성과.hwp", 5쪽, 2023. 10. 03. 다운로드.
· 전라남도청 홈페이지 정보공개란에서 다운받은 서류 "2020년 친절봉사상 수여대상자 공개검증.hwp", 1쪽, 2023. 10. 03. 다운로드.

소문만 무성한 땅

다양한 매체들이 보도한 기사를 통해 사파리 아일랜드 조성 사업과 관련된 세부 사항들을 더 자세히 확인할 수 있다.

2009년 9월 4일에 매일경제에서 발행한 기사 "전남 신안에 사파리 조성"에 따르면 전라남도는 전문가들을 대상으로 동물원 기본계획 초안에 대한 공모를 실시했으며, 9월쯤 공모작이 선정되면 이를 토대로 구체적인 계획을 세워 2013년까지 사파리 조성을 완료할 계획임을 밝혔다. 전라남도는 신안군 도초도가 본 사업의 선정지로 채택된 구체적인 이유로 온화한 기후와 수자원 확보를 위한 다수의 저수지를 언급했다.

2011년 12월 19일 동아일보에서 발행한 기사 "신안 도초도에 국내 최대 사파리 들어선다"에서는 입식 동물들의 종류를 구체적으로 언급하고 있는데, 초식동물로는 사슴, 코끼리, 하마, 기린, 산양, 캥거루 등이 있고 육식동물로는 사자, 호랑이, 여우, 늑대 등이 있다. 특히 기존 동물원 개념을 벗어나 자연환경 속에서 먹이사슬이 공존하는 야생동물원 조성이 사파리 아일랜드 사업의 핵심임을 밝힌 부분이 눈여겨 볼만하다.

2013년 6월 6일 데일리저널(Daily Journal)에서 발행한 기사 "전남 사파리 아일랜드 도초에서 좌초 위기"에 따르면 감사원은 전라남도가 투자비와 사업비에 물가 상승률을 반영하지 않은 점, 명목할인율이 아닌 실질 할인율을 적용한 점 등을 언급하며 용역업체가 본 사업의 사업성이 양호한 것처럼 자료를 왜곡하여 제출했음을 꼬집었다. 같은 해 7월 7일 한겨레에서 발행한 기사 "외딴섬 논바닥을 사파리로… 3선 도지사의 삽질"에서는 본 사업에 대한 주민들의 현실적인 반응을 엿볼 수 있다. 기사에 따르면 주민 박씨는 대체로 나이 든 주민은 사업에 반대하고 50대 이하는 찬성하는 분위기라고 전하며 마을이 둘로 갈라지는 것을 염려했다. 또 다른 주민 박씨는 논 한 마지기에 400만 원의 보상금이 나온 후 주변 논값이 500만 원으로 뛰어 땅을 내놓는 이들이 없다며 마을에 불어닥친 변화를 언급했다.

2014년 9월 24일 서울일보에서 발행한 기사 "전남 섬 관광 사파리 아일랜드 조성 사업 전면 중단"에서는 경제성이 없는 사업으로 민간 투자가 어렵다는 이유로 사파리 아일랜드 조성 사업이 전면 중단되었음을 밝혔다.

2020년 10월 26일 광주일보에서 발행한 "전남도, 사파리 아일랜드 부지 신안군에 판다"에서는 신안군에서 도유지인 사파리 아일랜드 부지를 활용해 '아일랜드 주토피아 사업'을 추진하고자 기본 계획 수립 후 매각을 건의해 왔다고 전했다. 골칫덩어리였던 해당 용지가 전라남도에서 신안군으로 매각되었음을 확인할 수 있다.

2022년 10월 25일 무등일보에서 발행한 기사 "신안 도초에 스마트팜 임대단지 들어선다"를 통해 결국 10년 넘게 행방이 묘연했던 사파리 관련 사업은 취소되었고 해당 부지인 발매리에 스마트팜이 들어설 것임을 공시하고 있다.

이 땅에는 여전히 소문만이 무성하다.

JDS 건축사무소의 제안

2009년 전라남도는 사파리 기본계획 초안에 대한 공모에서 덴마크 코펜하겐에 기반을 둔 JDS 건축사무소의 제안을 선정한다. JDS 건축사무소는 이 섬은 자연과 구조물이 서로 공생하며 균형을 이루는 지속 가능한 개발에 대한 사례연구가 될 수 있다고 전하며, 그들은 섬 중앙의 낮고 평평한 땅은 동물을 수용하고 해발 20미터보다 높은 산봉우리는 개발로부터 보호하는 '인프라 그린벨트'를 제안했다. 동시에 탄소 배출이 전혀 없는 운송 시스템, 재생 가능한 에너지원 사용, 빗물 집수 시설 설치, 모든 폐기물을 퇴비나 바이오 연료로 재사용하는 등 최대한 기존 환경에 영향을 최소화하는 방향으로 설계될 것임을 강조했다.

그들은 미래의 도초도를 엿볼 수 있는 몇 장의 3d 이미지를 함께 공개했는데, 본 사업의 랜드마크가 되는 상징적인 구조물이 눈에 띈다. 기다란 철골과 와이어로 구성된 벅민스터 풀러(Buckminster Fuller)[2] 구조의 건축물은 안과 밖의 경계를 구분할 수 없다는 듯 자연의 침투를 환영한다. 이 구조는 벅민스터 풀러가 자연의 원리에서 영감을 얻어 고안해 낸 것으로 삼각형 형태들이 구의 모양을 이루며 세워진다. 적은 양의 부재로 큰 면적을 조성할 수 있으면서도 엄청난 무게를 견딜 수 있을 만큼 안정적이며 조립식 공사가 가능하여 매우 경제적이고 이동성이 뛰어나다는 장점이 있다.

바다위의 에덴

JDS 건축사무소에서 사파리 조성 사업 초안을 공개한 후 작성된 몇 개의 기사에서 도초도를 바라보는 시선이 재미있다. 인해비타트(INHABITAT)에서 공개한 유카 요네다(Yuka Yoneda)의 기사 "도초도 동물원 섬은 바다 위의 에덴(Dochodo Zoo Island is an Eden at Sea)"에서는 도초도를 '바다위의 에덴'이라 지칭한다. 그녀는 다음과 같은 문장으로 기사를 시작하고 있다. "영화 쥬라기 공원의 줄거리처럼 들리지만, JDS 건축사무소는 한국의 섬 도초도에 위치한 동물원을 위해 놀라운 계획을 세웠습니다.(It sounds like the plot of the movie Jurassic Park, but JDS Architects have created an incredible plan for a zoo located on the South Korean island of Dochodo.)" 여기서 섬은 일순간 인간의 환상이 투영된 영화 세트장으로 변모하며, 동물이 우리를 탈출해 벌어지는 다양한 상상을 촉발한다.

건축가 슈미트 싱갈(Sumit Singhal)의 글 "JDS 건축사무소가 설계한 대한민국 도초도 동물원(Zoological Garden in Dochodo, South Korea by JDS Architects)"에서는 도초도의 지정학적 위치에 주목한다. 그는 이 섬을 서울(대한민국 제1의 도시이자 비즈니스 중심지)과 부산(제2의 도시이자 산업 중심지)으로 연결되는 삼각형의 나머지 꼭짓점으로 바라본다. 동시에 국내뿐만 아니라 상하이와 같은 주변 아시아 대도시의 관광객까지 유치할 수 있는 잠재력이 높고 매력적인 장소라 강조했다.

2) 미국의 건축가이자 디자이너로 측지 다면체로 이루어진 반구형 또는
   바닥이 일부 잘린 구형의 건축물인 '측지 돔(geodesic dome)'을 디자인했다.

500년 전 섬에 세워진 사파리

태종실록 21권, 태종 11년 2월 22일 계축 2번째 기사

1411년 명 영락(永樂) 9년 일본 국왕이 우리 나라에 없는 코끼리를 바치니 사복시에서 기르게 하다. 일본 국왕(日本國王) 원의지(源義持)가 사자(使者)를 보내어 코끼리를 바쳤으니, 코끼리는 우리나라에 일찍이 없었던 것이다. 명하여 이것을 사복시(司僕寺)에서 기르게 하니, 날마다 콩 4·5두(斗)씩을 소비하였다.

태종실록 24권, 태종 12년 12월 10일 신유 6번째 기사

1412년 명 영락(永樂) 10년 전 공조 전서 이우가 코끼리에 밟혀 죽다. 전 공조 전서(工曹典書) 이우(李瑀)가 죽었다. 처음에 일본 국왕(日本國王)이 사신을 보내어 순상(馴象)을 바치므로 3군부(三軍府)에서 기르도록 명했다. 이우가 기이한 짐승이라 하여 가보고, 그 꼴이 추함을 비웃고 침을 뱉었는데, 코끼리가 노하여 밟아 죽였다.

태종실록 26권, 태종 13년 11월 5일 신사 4번째 기사

1413년 명 영락(永樂) 11년 코끼리를 전라도 해도에 두도록 명하다. 코끼리[象]를 전라도의 해도(海島)에 두도록 명하였다. 병조 판서 유정현(柳廷顯)이 진언(進言)하였다. "일본 나라에서 바친바, 길들인 코끼리는 이미 성상의 완호(玩好)하는 물건도 아니요, 또한 나라에 이익도 없습니다. 두 사람이 다쳤는데, 만약 법으로 논한다면 사람을 죽인 것은 죽이는 것으로 마땅합니다. 또 일 년에 먹이는 꼴은 콩이 거의 수백석에 이르니, 청컨대, 주공(周公)이 코뿔소와 코끼리를 몰아낸 고사(故事)를 본받아 전라도의 해도(海島)에 두소서." 임금이 웃으면서 그대로 따랐다.

태종실록 27권, 태종 14년 5월 3일 을해 4번째 기사

1414년 명 영락(永樂) 12년 순천부 장도에 방목중인 길들인 코끼리를 육지로 내보내게 하다. 길들인 코끼리[象]를 육지(陸地)로 내보내라고 명하였다. 전라도 관찰사가 보고하기를, "길들인 코끼리를 순천부(順天府) 장도(獐島)에 방목(放牧)하는데, 수초(水草)를 먹지 않아 날로 수척(瘦瘠)하여지고, 사람을 보면 눈물을 흘립니다." 하니, 임금이 듣고서 불쌍히 여겼던 까닭에 육지에 내보내어 처음과 같이 기르게 하였다.

세종실록 10권, 세종 2년 12월 28일 임술 2번째 기사

1420년 명 영락(永樂) 18년 전라도 관찰사가 코끼리의 순번 사육을 청하다. 전라도 관찰사가 계하기를, "코끼리[象]란 것이 쓸 데에 유익되는 점이 없거늘, 지금 도내 네 곳의 변방 지방관에게 명하여 돌려 가면서 먹여 기르라 하였으니, 폐해가 적지 않고, 도내 백성들만 괴로움을 받게 되니, 청컨대, 충청(忠淸)·경상도까지 아울러 명하여 돌아가면서 기르도록 하게 하소서." 하니, 상왕이 그대로 따랐다.

세종실록 11권, 세종 3년 3월 14일 병자 5번째 기사

1421년 명 영락(永樂) 19년 충청도 관찰사가 코끼리를 섬 가운데 있는 목장으로 내놓아 달라 건의하다. 충청도 관찰사가 계하기를, "공주(公州)에 코끼리를 기르는 종이 코끼리에 채여서 죽었습니다. 그것이 나라에 유익한 것이 없고, 먹이는 꼴과 콩이 다른 짐승보다 열 갑절이나 되어, 하루에 쌀 2말, 콩 1말 씩이온 즉, 1년에 소비되는 쌀이 48섬이며, 콩이 24섬입니다. 화를 내면 사람을 해치니, 이익이 없을 뿐 아니라, 도리어 해가 되니, 바다 섬 가운데 있는 목장에 내놓으소서." 하였다. 선지(宣旨)하기를, "물과 풀이 좋은 곳을 가려서 이를 내어놓고, 병들어 죽지 말게 하라." 하였다.

국사편찬위원회 조선왕조실록 서비스 중
태종실록(태백산사고본) 원문 9책 21권 앞표지

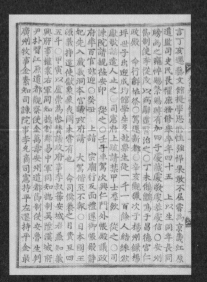

국사편찬위원회 조선왕조실록 서비스 중
태종실록(태백산사고본) 원문 9책 21권 10장 B면

출처: 국사편찬위원회 조선왕조실록 서비스 중 태종실록(태백산사고본) 원문 데이터
이미지 소장처: 국가기록원

헤엄치는 코끼리

조선 최초의 코끼리가 유배 가는 모습을 상상하며 사람들은 어떻게 거구의 동물을 섬으로 옮겼을지 궁금했다. 누군가는 코끼리를 뗏목에 태웠다 상상했고, 누군가는 줄을 묶은 코끼리가 바다를 헤엄쳐 뒤따를 수 있게 했다 상상했다. 여기서 거대한 몸집을 가진 코끼리가 수영을 잘한다는 사실을 모르는 이들이 많다. 그래서 바다를 유유히 헤엄치는 코끼리의 모습은 우리에게 초현실적으로 다가온다. 하지만 그들은 긴 코를 사용해 산소를 공급하고, 강한 다리를 물속에서 저어가며 수영한다. 실제로 웹에 'swimming elephant'로 검색하면 안다만 니코바르 제도(Andaman and Nicobar Islands)에서 사는 라잔(Rajan)이라는 코끼리가 수영하는 모습의 영상을 여러 개 찾아볼 수 있다. 일본의 시즈오카 동물원(Shizuoka Municipal Nihondaira Zoo)에서는 실제 자연에서 코끼리들이 마주할 법한 강의 폭과 길이를 재현한 코끼리 수영장을 만들기도 했다.

바다를 건너는 동물

도초도라는 이름과 관련된 몇 가지 유래 중 섬의 형태가 '고슴도치'를 닮아 '도치도'라 불리다 '도초도'가 되었다는 설이 있다. 도초도가 위치한 서남해안에는 동물이 이름을 품은 섬이 여럿 존재한다. 자연 속에 숨어있는 동물의 형태를 찾아낸다면 당신은 바다를 헤엄치는 수많은 동물을 마주칠 수 있다. 실제로 도초도에서 작은 배를 모는 오 씨는 바다 한가운데서 그물을 던져 멧돼지를 길어 올리기도 했다. 그의 말에 따르면 섬에 사는 야생동물은 먹이를 찾아 섬과 섬 사이를 헤엄쳐 이동한다고 한다. 그리고 동물들은 본능적으로 바다를 건널 적절한 해류와 파도의 높이를 감지할 수 있다고 한다.

파도 위의 괴체

열하일기는 연암(燕巖) 박지원이 1780년 중국의 북경에서 열하까지 여행하며 감상을 적은 기행문이다. 그는 중국에서 처음 코끼리를 마주하며 과거 동해에서 겪은 한 일화를 떠올린다. 집채만큼 큰 크기에 물고기인지 짐승인지 통 알 수 없는, 파도 위에 말처럼 서 있던 물체를 언급하며 지금 보고 있는 코끼리가 동해에서 보았던 정체 모를 괴체와 매우 흡사하다고 기록했다.

서남해안에서 동물을 품은 섬 목록

❶ - 닭섬: 전남 신안군 안좌면 탄동리 산 12
❷ - 까치섬1: 전남 신안군 압해읍 가란리 44-2
❸ - 까치섬2: 전남 신안군 증도면 우전리
❹ - 까치섬3: 전남 신안군 암태면 신석리
❺ - 노루섬1: 전남 신안군 암태면 오상리
❻ - 노루섬2: 전남 신안군 안좌면 반월리
❼ - 노루섬3: 전남 신안군 안좌면 자라리 산 131
❽ - 노루섬4: 전남 신안군 장산면 팽진리
❾ - 쥐섬: 전남 신안군 증도면 우전리
❿ - 매섬1: 전남 신안군 임자면 이흑암리
⓫ - 매섬2: 전남 신안군 비금면 내월리
⓬ - 자라도: 전남 신안군 안좌면 자라리
⓭ - 쥐머리섬: 전남 신안군 흑산면 비리 산 7
⓮ - 말섬: 전남 신안군 도초면 만년리

동물 삼총사

2005년 9월 목포대학교 도서 문화연구소와 신안군이 공동 발간한 책 「도서 문화유적 지표조사 및 자원화 연구 4」에 따르면 도초도에서 우이도로 가는 해로에서 동물 삼총사를 만날 수 있다고 한다. 석황도는 쥐, 흑도는 하마, 소흑도는 진돗개를 닮았다. 책은 헤엄치는 동물의 동세와 상황을 세세하게 묘사하고 있다. 날렵한 쥐는 제일 앞서고 하마는 둔하지만 열심히 뒤따르며 진돗개는 남쪽 경치도에 먹을 것이 있는지 방향을 틀고 있어 가장 뒤처져 헤엄친다고 설명한다.

　　하지만 대부분의 도초도 주민은 이 세 개의 섬이 '동물 삼총사'라 불린다는 사실을 전혀 모르고 있다. 실제로 동물섬은 매일 물의 높이에 따라 꼬리를 수면 위로 내어놓기도 수면 아래로 숨기기도 하며 파도 속에서 매복한다.

동물의 시선

대부분의 동물 다큐멘터리에는 자연을 포착하는 고정된 시선이 존재한다. 우주적 차원에서 내려다본 드넓은 대지는 대자연의 숭고함을 고취하고, 강한 물살을 거침없이 가르며 나아가는 동물의 허벅지 근육은 역동성을 느끼게 하며, 풀숲에서 사냥감을 노리는 포식자의 매서운 눈빛은 긴장감을 고조시킨다.

　　최근 BBC가 제작한 '야생의 스파이(Spy in The World)' 시리즈는 이러한 어법을 완전히 전복시키는데, 그들은 특정 종의 외형과 똑같은 로봇을 제작해 실제 동물 무리에 침투시킨다. 이 로봇은 눈 속에 소형 카메라를 내장하고 있어 실제 동물을 아주 가까운 거리에서 촬영할 수 있다. 촬영은 원격제어로 이루어지는데, 외부 관찰자가 아닌 내부 침입자의 시선은 보통의 동물 다큐멘터리와는 완전히 다른 매우 역동적이고 사실적인 화면을 제공한다.

　　로봇보다 조금 더 원초적인 근접촬영 방식도 존재하는데 바로 '터스크캠(Tusk Cam)'이라 불리는 코끼리 상아 카메라가 그것이다. 사람들은 코끼리 상아에 정확히 장착할 수 있는 원격 제어가 가능한 카메라를 고안하여 코끼리를 타고 촬영을 진행한다. 그들은 호랑이가 코끼리를 적으로 인식하지 않는다는 점을 활용하여 터스크캠으로 호랑이 무리를 근접 촬영할 수 있었다. 코끼리를 스파이로 침투시킨 다큐멘터리는 '호랑이-정글의 스파이(Tiger-Spy in the Jungle)'이라는 이름으로 공개됐다.

도초도 북서쪽 해안에서 바라본 동물 삼총사

조감도

관광객 마틴 로자노(Martin Lozano)는 스페인 서부 해안의 시에스 제도(Islas Cies)를 방문하던 중 갈매기 한 마리가 그의 고프로를 순시간에 훔쳐 가는 봉변을 당했다. 갈매기는 다소 교활한 행동으로 카메라에 다가와 부리로 그것을 낚아챈 후 날아가 버렸다. 고프로가 촬영 중이었기 때문에 하늘에서 내려다본 시에스 제도의 풍경이 그대로 촬영되었다. 한때 SNS에서 이 영상은 수많은 리포스트를 통해 회자되었다.

높은 곳에서 새의 시선으로 내려다본 상태의 그림이나 지도라는 뜻의 '조감도(鳥瞰圖)'가 말 그대로 구현된 셈이다. 최근에는 드론의 프로펠러가 새의 날개를 대신하는데, 2016년 네덜란드의 경찰은 드론의 잠재적 위험에 대처하기 위해 드론을 사냥하는 맹금류를 훈련시키기도 했다. 현재 드론 잡는 맹금류 프로젝트는 그 수요가 많지 않아 중단되었으나, 새와 드론은 서로의 존재를 위협하는 새로운 천적 관계가 된 듯하다.

New Documentary

사람들은 더 이상 편집으로 직조된 자연을 수용하는 시청자가 아니라, 한 장소를 주체적으로 목도하는 관찰자가 되었다. 그들은 본인이 원하는 장소의 라이브 캠을 선택하여 자연 그 자체를 살피며 위안을 얻거나, 종종 등장하는 야생동물을 기다리기도 한다. 때로는 집이나 사무실 같은 아주 사적인 공간을 카메라로 비추며 인간과 함께 생활하는 반려동물의 모습을 송출하기도 한다. 그들은 사냥이 아닌 매복의 방식을 통해 같은 장소를 비추는 무수한 시간 속에서 캡처 이미지를 통해 특별한 순간을 저장하고 댓글을 통해 공유한다.

접근 허가

목포에서 도초도까지 쾌속선으로 1시간, 농협배로는 2시간 30분이 걸린다. 세월호 사건 이후 배의 출항 여부는 더욱 엄격히 관리되고 있다. 섬의 날씨는 육지보다 더 변화무쌍하기 때문에 출항 여부는 출항 직전에 바뀌기도 하고, 승선 후 배 안에서 바다 사정을 살피며 몇 시간씩 대기하기도 한다. 기상청에 따르면 안개로 시정 거리가 1km 이내인 경우, 시속 14km 이상의 바람이 3시간 이상 지속되거나 유의 파고가 3m 이상일 경우 출항이 통제된다. 섬은 언제나 열려있지만 아무 때나 도달할 수 없는 곳이다.

주민 인터뷰: 마지기

Q. 도초에 사신지는 얼마나 되셨어요?
A. 내가 24살 묵어서 여기왔제, 지금 일흔 넷인께 50년 되었네.

Q. 부지에서는 원래 사람들이 농사를 지었나요?
A. 다 농사지었제. 주로 벼를 하고 이른나락 해낸 자리에는 시금치하고. 벼가 늦게된 놈 있고 일찍된 놈 있고 그라제. 일찍된 놈은 일찍 배어야 시금치를 갈제. 늦게한 놈은 시금치를 못 갈지. 춥고하믄 시금치도 안나불고 그라제. 시금치 갈라고 이른 종자를 해불제. 이른 종자는 수확이 아무래도 떨어져. 양이… 인자 시금치에서 돈을 많이 하제. 벼는 돈이 별로 안되지. 비금 도초 시금치… 도초 시금치가 맛은 더 있는디 비금 사람들이 어거지가 시어. 겁나게 쎄가꼬… 시금치 박스에다도 상표를 붙인디 도초꺼는 못하게 하니까, 비금사람한테 못해본께. 그래서 상표 붙인것도 못하고 그냥 그대로 살잖아. 그니까 도초가 비금사람한테 뭐든지 못해봐, 져, 져. 비금사람한테 못해봐. '억지 비금' 말이 있잖아, 억지 비금. 그래서 도초 섬초가 있고 비금 섬초가 있으믄 비금 섬초는 마크가 붙었응께 더 좋아보이지. 맛은 우리 도초 것이 훨씬 더 있어. 비금은 모래땅하고 섞어져가지고 맛이 좀 덜하데. 근디 우리 도초는 모래가 없제.

Q. 50년 전에 발매리에 처음 오셨을 때도 벼농사 짓고 시금치 농사 짓고 했나요?
A. 시금치 안했지 그때는. 시금치 한게 십… 한 십이삼 년 됐겄다. 그때 옛날에는 밭으로 모도 우리 농사진 사람이 밭이 많이 있었어. 개간 안한데는 밭이 많이 있어가지고 거 뻘통 땅에다가 시금치들을 많이 갈아서 밭차 팔았제. 우리는 시금치 할지도 모르고 밭차 넘겨줬제. 그라믄 큰 등치로해서 내고 그랬는디. 지금은 전부 개개인이 해불잖아.

Q. 그런데 왜 갑자기 시금치를 한 거예요? 군에서 권장한 건가요?
A. 아니지, 개인이 해보니까 소득이 높거든. 그래가꼬 옛날에는 40키로 박스에다 했는디 지금은 20키로 박스에다 해도 가격은 20키로가 더하거든. 근디 이 박스가 인자 또 사람은 늙어가고 손은 부족한께 5키론가 8키로로 줄인데 또. 인제 줄인데. 줄여가꼬 하믄 아무래도 힘이 좀 덜 들겄지.

Q. 그럼 사파리 사업 때문에 지자체에서 땅을 사간 건 2005년 즈음이었죠?
A. 글지, 인자 10년 넘었지 땅 사간지도. 사파리한다고 했는디 안돌아간 우리 머리로 생각을 해도 사파리를 한다고 짐승을 들여오자 하믄 들어 온날부터 돈이 나가고 있어. 짐승을 맥여야제 관리해야제 또 그 뭐… 짐승 킬라믄 집 지서야제, 돈이 엄망으로 들어가겄드라고. 그런디 사파리를 해서 짐승을 키믄 냄새나서 여기 주민들도 못 살거야 아마. 그때는 인제 우리를 얼로 이주를 시키든가 해야지. 그것도 채금(책임)이제. 땅 산 사람 채금이제 그것도. 근디 인제 못 키게 생겨서 그란가 안 키고 있어 지금. 그런거 하지도 않고 인제 바나나

농장 만든다고 앞에다 지금 저기하고. 행여나 모 심을까봐 그랬나봐. 흙 뭐 자갈, 독 섞어진 그런 흙을 며칠을 일을 하더니 여기다 저기다 때문 때문 농사 못하게… 그래가꼬 인자 농사를 못하게 하믄 못하제, 한번 팔았는디 뭔 자유가 있었어.

Q. 주민들이 땅을 팔게 된 과정을 이야기 해주세요.
A. 그때 땅을 매입할 당시에는 300못간 놈도 있고 300간 놈도 있고 마지기당. 200평당. 논은 200평이 한마지기고 밭은 100평이 한마지기거든. 근디, 그렇게 해서 돈이 300 못한 놈도 있고 300 한 놈도 있고 하니까, 600만원을 준다고 하니까 이 젊은 사람들이 돈에 인자 눈이 뒤집혀가꼬 다 갖다 팔아분거야. 다 팔아불고 난께 인자 허망하지. 돈 얼마 받아봤자 얼로 간것도 없고 농사는 못 지고 하니까 인자 무장 이 동네가 인자 황폐해져불지. 글고 또 이 부락이 나무 심는 길이 없어야라 길이 환하게 좀 트이고 하는디 거기다 인자 뭐 수국 공원인가 뭐 한다고 쭉 나무를 심으니까 여긴 인자 감옥되아부러. 이 동네는 감옥이여. 배려분거야 인자 한마디로 말해서.

Q. 팽나무 길이요?
A. 응, 팽나무 길을 해분께. 수국 전부 심어서 저기 진안 간데까지 꽃피잖아 인자, 수국 꽃필때는 완전히 이 부락만 배려부렀제. 팽나무 길이 쫙 막아부렀잖아, 이 동네는 어디 뭐 보이도 안하고. 완전히 구덩창에다가 꼬라박은 심이제 인제.

Q. 그럼 땅을 다 파신분들은 그 뒤로 뭘 하고 사시나요?
A. 땅이 우리들은 전혀 없는디 팽나무길 넘어 쪽으로 행길이 있어. 행길 넘어 쪽으로 논이 쪼끔씩 있어. 보통 여기 산 사람들은 거가 있지. 식량 나올 것은 거쪽이 있어서 인자 내먹고 거쪽에다 시금치도 갈고 했는디 한 몇몇은 전혀 없어져분 사람도 있지.

Q. 그럼 그분들은 그 뒤로 농사를 아예 안지으시는 건가요?
A. 못짓제. 시골에 살긴 살고. 땅 판 것으로 먹고 살테제. 쌀은 사묵제 인자.

Q. 땅을 팔고 이 부락을 아예 떠난 사람들도 있나요?
A. 떠난 사람은 없어, 그대로 살고 있지. 다 인자 많이 돌아가시고… 사람들이 때가 되았는가 이제 너무 많이 돌아가셔. 집이 무장 비고, 사람은 돌아가시고, 또 있는 사람도 다 나이가 묵어지잖아. 긍께, 힘등께 인자 기계로 하기는 하는데 힘들지.

Q. 사파리 관련 소식은 어떻게 전해 들으셨나요?
A. 사파리가 들어온다, 월포 땅을 매입시킨다 한께 인자 모두 모여서 회의도 하고 했는데, 땅을 가격을 인자 높이 준께… 돈준다 한께 모두 우루루 면으로 가서 인자 사인 받고 오드라고. 그라고 인자 안판 사람들은 두 사람이 있었어. 근디 인자 오래까지 놔둬도 다 팔아불고

인자 두 집밖에 없거든? 안되것응께 인자 그 집도 팔았제, 할 수 없응께. 팔고도 후회하고 또 쩌… 청와대로 진정서를 올렸어. 우리 땅 도로 주쇼. 가격 준 돈 다 두루 드릴테니까 그 땅을 두루 주소 하고 진정서 냈어도 필요 없어. 안줘.

Q. 청와대로 진정서를 올린게 언제쯤이에요?
A. 올린지가 작년 언제겄냐. 작년 가을이었으까? 2021년도에나 올렸겄다. 그렇게 올렸어도 필요없어, 안줘. 한번 가분께… 그래가꼬 그 뒤로 사파리 땅 땜에 도초 일대가 논값이 엄청 올라부럿어. 그래가꼬 1200, 1600 그렇게 올라부럿어. 한 마지기당. 무지하게 올라부럿제. 땅이 없어서 모도 못 사고. 여기 사람들은 인자 후회를 겁나게 하고 있제.

Q. 그때 사파리라는게 뭐라고 알고 계셨어요?
A. 사파리란게 짐승 킨다는 뜻이제. 그래서 인자 첨에는 짐승도 키고 돈 벌어먹을 길은 인자 여 동네 사람을 최우선으로 삼고 한다고 어짜고 했었어. 근디 그 말을 한지도 인자 10년이 넘었는디 지금 사람들이 다 늙어불잖아. 직장이 있다 해도 못하제 인자. 다 늙어분께.

Q. 계획을 보니까 사자, 코끼리 같은 동물들이 온다고 되어있던데요?
A. 사파리만 한다고 들었제 뭔 짐승들이 온가는 나는 모르고.

Q. 지금 부지가 앞으로 무엇이 될지 마을 주민들이 알고 있는게 있나요?
A. 이 앞으로 빈 논에는 수국을 심는다 했어. 군수가 와서 설명하기를 화장품을 만드는 수국, 또 약제로 들어가서 약으로 만드는 수국 그런걸 심어가꼬 우리가 키로당 얼마 이렇게 소득을 보게끄름 한다한디 작년에 인자 한반구에 돈이 자기가 2000만원씩 걸으라 했다하냐 뭐라 했다하냐. 난 그거는 확실히 모르는데, 걸고 거기서 요론나무(모종)를 주믄은 인자 논에다 키라 그 말이여. 수국을 키워서 화장품도 만들고 약품도 만들고 이렇게 해서 인자 우리가 소득을 보고 살자고 했는디 그 수국이 100프로가 사냐 그러믄 그것이 아니래. 그 목돈을 주고 우리가 선금을 걸었다가 만약에 갖다 심어서 다 죽어블믄 그거 뭣할꺼여. 그래서 사람들이 무서라고 얼른 안 달라들어. 나는 몇반구를 나를 주쇼 나는 수국할라 그런 신청을 해야한디 아무도 안해부러 무사라고. 그래서 동네 사람들이 암도 안해분거야. 무서라고. 그래가꼬 인자 바나나 농장 만든다고 저 앞으로 뭐 짓는다 해쌌드만.

Q. 수국 축제도 하던데 원래 여기서 수국이 많이 났나요?
A. 군수가 다 어디서 가꼬왔제. 몇 차씩이 들어와 인자. 그래서 심고 죽어불믄 또 갖다 심고. 또 심은 자리에 인자 풀이 엄청난께 인자 인건비도 엄청 들거야 아마. 사람 다 사서 그 풀을 매잖아. 매고 돌아서서 며칠있음 또 하나 차고 또 하나 차고. 보통일이 아니여.

Q. 그런데 관광지를 만들려고 그 수국을 다 갖다 심은거죠?
A. 그제.

Q. 관광객은 많이 오나요?
A. 관광객이 여름에는 쫌 온거 같은데? 여름에는 이상 와, 온디, 여…
(전화벨이 울린다)

Q. 사파리를 발매리에 만든다고 했을 때 다른 마을 사람들의 반응은 어땠나요?
A. 처음에는 땅 비싸게 팔아서 좋겠다고 그랬는디 난중에는 다 비웃으고 있어 비웃으고.

Q. 근데 왜 사파리를 굳이 여기다 만든다고 했을까요?
A. 그거는 물이 첫째 좋잖아 물이. 양쪽 저수지가 있어가꼬, 저 앞에 새 저수지는 무지하게 커. 그리고 쩌 구 저수지는 쪼끄매도 물이 항상 차가꼬 있어. 긍께 짐승 키거나 하믄 물이 있어야제 첫째. 수국을 키워도… 물 수국이라 했어, 물 수자라 했어. 물을 엄청 묵어 저 수국이. 쪼끔 한 며칠 가물어가꼬 시들시들 해가꼬 있으믄 다 물 장치 해져가꼬 있어. 그래서 바로 인자 물을 틀므는 물이 나와서 주게끄름 되아있어.

Q. 저수지도 결국 사람들이 만든 거잖아요?
A. 그러제, 옛날에 만들었제.

Q. 농사 때문에요?
A. 농사 지을라고 만들었제. 근디 인자 여 땅 팔아분께 저수지는 인자 별로 안쓰게 생겼제. 근디 농사 쩌쪽에다 진 사람들은 화천물을 쓰고, 부족하믄 또 잡아댕겨다 써야제 그놈을. 저수지도 그것들꺼 되아부럿제. 저수지는 원래 공동 것이었제. 물이 없으믄 못하제 아무것도.

Q. 팽나무는 차도선으로 싣고와서 하나하나 심은 건가요?
A. 한나무씩 큰 차가… 팽나무가 왠만히 커야제. 하나씩 싣고와 하나씩. 맨당 돈이제.

Q. 발매리 자랑 좀 해주세요.
A. 발매리 자랑이 뭐시 있을까. 물도 좋고 또 지금 산으로 길이 나가꼬 차로 가게 되아있거든. 우리는 안올라가봐서 모른디 차가 싹 돌믄 가서 올라가서 보믄 멋있데. 근디 우리는 아직 안올라가봐서 몰라. 또 영화 촬영지도 있고. 발매리가 월포, 발매, 춘경, 화도 발매리로 다 들어가. 이 네 부락이. 긍께 인자 주소 적을때는 발매리 월포 부락 몇길 이렇게 적어야돼. 옛날에는 집 앞까지 깻물이 들어왔데, 바다였데. 근디 인자 막아서 토지들을 일구고 사는데 그래서 이렇게 뺑 둘러 막았다고 해서 '월포'라고 지었는데. 동그랗다고 해서 '달 월', '뻘 포'. 그래서 인자도 논에가 꿀 좇은 껍데기가 많아, 옛날에 바다여가지고.

우물

월포마을에 있는 주민 고씨의 집에는 2개의 우물이 있다. 그녀는 도초도는 물이 좋아 동·식물 모두 잘 자란다고 자랑하며 물맛이 변하긴 했어도 집 우물에서 퍼낸 물이 가장 좋다고 했다.

집 뒤 우물에 뜬 부유물을 제거하고 있는 주민 고씨

신주(神主)

신주(神主)는 나무를 다듬어 만든 위패로 조상의 혼이 깃들어 있는 신체 일부로 여긴다. 제사를 지낼 때는 죽은 사람의 이름을 적고 신주에 넣어 상 위에 올리기도 한다. 고씨는 집 벽장 한쪽에 3개의 신주를 모시고 있으나 아침, 저녁으로 아뢰거나 인사를 드리지는 않는다고 했다. 그녀는 발매리 이웃 중 집 안을 청소하면서 신주를 버린 노부부가 갑자기 몇 주 사이에 화를 당한 일화를 전하며 이러지도 저러지도 못하는 상황이라 했다.

도둑 농사

도초도 발매리 일대에 '2023년 경작 금지' 팻말이 박혀있다. 사파리 조성 사업을 위해 지자체에 논과 밭을 팔았던 농민들은 십 년 넘게 아무런 진척 없이 방치된 땅에서 다시 농사를 짓기 시작했다. 이를 괘씸하게 여긴 한 주민의 신고로 지자체는 '도둑 농사'를 엄격히 금지하고 있다.

농기구

발매리 길거리에 농기구들이 줄지어 누워있다.

도초월포길 가장자리에 놓여있는 농기구

수목과 지명

신라시대 당(唐)과 교역 기항지였던 도초도는 당나라 사람들 눈에 꼭 자기 나라 수도인 장안(長安)과 닮았고 풀과 나무가 무성하여 목마지로 이용되었기에 도읍 도(都)자에 풀 초(草)자를 합하여 '도초도(都草島)'라 불렀다고 한다. 오마이뉴스에서 2015년 11월 26일 발행한 기사 "오래된 마을 옛 담을 찾아"에 따르면 '도초'라는 이름처럼 이 섬에는 풀과

나무에서 온 지명이 많다. 매화가 만발한 모양이라 발매(發梅)라 했고, 대나무가 무성하여 죽련(竹連), 삐비(삘기)가 흔한 들녘이라 신교(莘郊), 난초가 많이 자생한다고 하여 고란(古蘭), 버드나무가 수두룩하여 오류(五柳), 엄나무가 우거져 엄목(奄木)이라 했다. 도초도 으뜸 해수욕장, 시목(柿木)도 감나무가 많아 붙은 이름이다.

발매리 마을 쪽에서 바라본 팽나무 10리길

팽나무 10리길

도초도 발매리 수로를 따라 약 3.5km에 달하는 팽나무 10리 길이 조성되어 있다. 이곳은 '환상의 정원'이라고도 불린다. 산책길 좌우로 심어진 약 700그루의 팽나무가 파수꾼처럼 발매리 마을을 지키고 있는 형상이다. 이 나무들은 고흥과 해남, 장흥 등 전남 곳곳에서 기증받아 옮겨 심어졌다. 한 주민의 말에 의하면 육지와 도초를 오가는 농협 배에는 최대 3그루의 팽나무를 실을 수 있다고 한다. 최근에는 공공근로사업에 참여하는 어머님들의 일손으로 팽나무 군락 아래 수국을 심고 가꾼다.

수국축제

팽나무 10리 길의 끝에 다다르면 '수국정원'에 도착한다. 나선형 오르막길을 따라 여러 종류의 수국이 심어져 있고 전통 정원, 수변 정원, 수국센터 등이 들어서 있다. 수국이 만발한 6월 말 약 열흘간 진행되는 지역 행사이다. 2024년 여름, 작업을 위한 현장 방문 당시 마주친 수국정원 공사 인부의 말에 의하면 정원의 꼭대기에 전망대가 곧 들어설 예정이라고 했다. 상·하의 모두 파란색 의상을 착용한 관람객은 무료입장이 가능한데 이는 도초도가 위치한 도초면의 상징 색이 파란색이기 때문이다.

섬과 축제

신안군 안좌도는 '퍼플섬'으로 유명하다. 안좌면 반월도와 박지도 인근에 라벤더를 심어 보라색 풍경이 장관을 이루는 관광지를 조성했다. 마을의 모든 지붕을 보라색으로 채색하고 산책로 난간, 휴지통, 식당의 그릇까지 보라색으로 바꾸었다. 보라색 옷을 입은 관람객에게는 무료입장을 허용했다. 후에 라벤더가 만발하는 가을 주말에는 하루 약 3,000명이 찾는 유명 관광지가 되었다.

안좌도가 퍼플섬으로 명성을 얻은 후 신안군은 면들을 특정 색과 매칭시키는 컬러 마케팅을 지속하고 있다. 섬-식물-색으로 이어지는 공식이 여기저기서 그대로 적용되는 사례를 심심치 않게 찾아볼 수 있다. 선도는 수선화를 심고 지붕 색을 노란색으로, 임자도는 튤립을 심고 지붕 색을 빨간색으로, 병풍도는 맨드라미를 심고 지붕 색을 다홍색으로 바꾸는 식이다.

태몽

아이의 출생을 예언하는 꿈인 태몽(胎夢)은 극도로 과장된 생기가 느껴진다. 화려한 질감과 색, 현실을 초월한 규모의 동·식물이 자주 등장한다. 이는 어쩌면 환상을 실제로 감각하는 유일한 통로이다.

주민 인터뷰: 태몽

Q. 혹시 본인 태몽에 대해서 알고 계세요?
A. 없제, 어무니가 안갈쳐 준께 모르제.

Q. 그럼 본인이 꾼 다른 사람의 태몽 중 기억나는게 있으세요?
A. 우리 애기들이 저… 뭐냐, 첫째 애기가 그랬을까? 그 애기가 하나 없어졌거든. 근디 우리 시골 뒷 문살에가 뱀이 세마리가 있드라고. 뱀이 세마리가 붙었어 창살에가. 그래서 내가 땐다고 땐 것이 하나가 꼬리가 떨어져부렀어. 그래서 내가 애기 하나를 잃었어. 근디 무슨 꿈을 꿔도 꼭 세 개씩 나와. 긍께 자식을 셋 두란 팔잔가봐. 다른 태몽은 기억이 안낭께 잘 모르겄고, 오래됐응께.

그 태몽은 내가 꼭 기억하고 있어.

Q. 그 뱀이 어떻게 생겼어요?
A. 늘뱀, 늘채. 늘채가 그렇게 보이드라고. 근디 태몽에도 꽃뱀이 보이믄 딸이래. 빨간 무늬있고 이쁜 뱀은 딸이래. 근디 나는 꼭 늘채가 보이드라고.

늘뱀… 창살에 붙은게 늘뱀[3]이었어.

늘뱀

발매리 월포마을 수로 근처 차로에서 발견된 뱀의 사체.

찌는듯한 여름 뙤약볕에 말라비틀어진 물뱀 사체

머리뼈

발매리 월포제 인근 둑방길에서 발견된 동물의 뼈. 고양이 머리뼈로 추정된다.

저수지에서 발견된 동물 두개골의 전두골 부분

저수지에서 발견된 동물 두개골의 상악골 부분

저수지와 물

발매리에는 '월포제'와 '발매제' 2개의 저수지가 존재한다. 도초도는 섬 중앙에 넓은 평야 지대가 있어 오래전부터 농사를 지을 수 있었고, 이에 따라 주민들은 어업보다 농업 종사 비율이 더 높았다. 물이 귀한 섬에서는 물이 있는 곳을 성소로 여긴다. 농사를 위해 저수지를 조성하고 논과 밭 주변으로 수로를 만들어 농업용수를 확보했다. 저수지 덕분에 발매리는 사파리 아일랜드 조성 사업의 최적지로 선정되기도 하였다. 현재는 많은 물이 필요한 수국재배에 해당 용수를 사용하고 있다.

저수지 확장공사

2023년 전라남도를 강타한 끔찍한 가뭄의 여파였을까? 누구도 그 속내를 모르는 사파리 사업의 밑 작업일까? 지자체는 더 많은 물을 확보하기 위해 저수지 확장 공사를 진행한다.

Q.   토지 보상비는 어떻게 받게 되신 거예요?
A.   가족들끼리 돈을 모아서 월포제 인근 무덤에 비를 세워놨었어, 거기에 이름이 있을것 아니냐, 누구누구 합장했다고. 그래서 면 직원보고 거기 가서 비석을 확인하라고 했지. 그 비에 보면 이름이 두 개 다 있으니까. 그래서 보고 확인하고 "아하! 두 분이구나"하고 두 명에 관한 보상비가 나왔지.

Q.   봉분은 하나인데 두 분이 묻혀있으니까요?
A.   그렇지. 무덤이 저수지 근처에 있는데 저수지 확장을 해서 물을 더 들어가게 할라고 지자체에서 공사를 한거야. 그런데 그 안에 우리 묘가 있던 거지. 그 바람에 4대조 할아버지도 그 돈 남은 것 갖고 한군데 다 모셔야겠다 생각해서 이장을 한거지. 고모보고 날 잡으라고 해서 포크레인 끌고 올라가서 판 거지. 그래서 묘를 팠는데 그대로 나오더라고. 그니까 저수지 근처에 있던 5대조 할아버지 아들이제. 인제 모든 조상들을 다 선산에다 모셔부렸어.

도초도 죽년리 고씨 선산으로 옮겨진 유골

편지

도초도가 고향인 고성왕씨가 본인의 4대조 할아버지 이장을 위해 쓴 기도문

천상천하대공망일(空亡日)

한국 전통 지식 포탈에 따르면 공망일(空亡日)은 상제의 명을 받고 이 세상에 내려와 각처를 맡은 모든 신들이 부름을 받고 하늘로 올라가는 날이다. 이날에 인간이 하는 모든 일은 신이 보지 않은 상태에서 이루어진 일이기 때문에 큰 탈 없이 인정해 준다고 여긴다. 따라서 흉신(凶神)이건 길신(吉神)이건 지상에 신이 없으므로 땅을 건드리는 이장 일은 공망일을 사용하면 해가 없다고 믿는다.

올빼미 허수아비

사파리 아일랜드 사업 용지였던 땅에서 발견된 올빼미 모양의 허수아비가 이곳이 농토였음을 겨우 증명하고 있다. 혹은 이 땅의 미래를 예언하듯 수호신처럼 서 있다. 중국의 해외 직구 사이트에서 판매하는 동일 제품의 소개와 후기 페이지를 한국어로 설정하면 다음과 같다.

제품명: 올빼미 허수꽃 조각 또는 가짜 올빼미 허수아비

제품설명: 이 놀라운 '생명 같은' 올빼미로 원치 않는 새와 설치류로부터 식물을 보호하십시오. 그것은 생생한 눈과 자연스러운 색상을 가지고 있으므로 해충, 동물, 설치류로부터 정원, 잔디, 화단 및 작물을 보호할 수 있을만큼 효과적입니다. 머리가 바람에 회전하여 더욱 사실적입니다. 한편, 훌륭한 솜씨로 완벽한 가정용 가구와 발코니 장식품도 만듭니다.

제품에는 나사가 필요한 경우 표면에 나사가 함께 제공됩니다. 야외 사냥에 이상적인 사냥 미끼, 생생한 디테일과 눈, 스프링이 머리를 연결하고 만졌을 때 흔들림, 사운드 컨트롤, 배터리를 설치하면 경고음 소리 (시장에서 대부분의 동일한 제품은 소리를 낼 수 없습니다.), 섀도우 컨트롤, 내장 섀도우 센서 바람이 불거나 손으로 머리를 만질 때 360 회전 가능. 두더지, 쥐, 고양이 등의 설치류로부터 정원을 보호하십시오. 또한 새를 격퇴하는 데 도움이 되며 식물 보호에 도움이 됩니다. 이 올빼미는 자연스럽고 무해한 새와 동물이 정원을 보호해 줄 것입니다.

후기:
04 Sep 2023 c***e ★★☆☆☆
돈을 잃고 비둘기를 예방하지 않습니다. 비둘기는 두려워하지 않고 옆에 서 있습니다.

01 Aug 2023 F***s ★★★★☆
소리는 닭고기와 매우 유사하며 확실히 Oe-Hoe가 아닙니다. 조금 실망했습니다.

31 Jul 2023 h***a ★★★★★
여전히 아름답고 큰 올빼미

사파리 예정지였던 터에서 발견된 올빼미 모양의 허수아비

발매리 지도

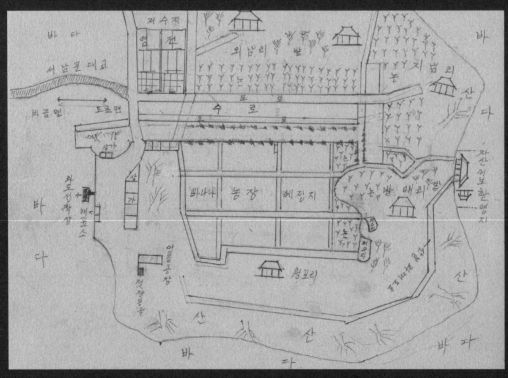

도초도가 고향인 고성왕씨가 그린 발매리 지도

얼음공장

Q. 화도 선착장 앞에 있는 동굴은 과거에 젓갈 창고였나요?
A. 아, 유성산업. 젓갈 창고가 아니라 그 앞에 하얀 집. 거기서
옛날에 유성산업을 했었어. 생선 공장을 했어 거기서, 그레기꼬
사람들이 많이 벌러 나갔는디, 김이철 씨가 그것을 성립을 시켰어,
김이철 씨가. 김이철 씨가 여그 앞에 큰 저수지도 막었지. 그래가꼬
불섬 사람들이 물 끌어다 묵었잖아 첨에. 한 몇 년 묵고 농사용으로
했기 때문에 월포 사람들이 물 못준다 하고 딱 차단해분께 물 불섬으로
못갔잖아. 이건 월포땅에다 했기 때문에 월포 물이다. 십 년까지만
먹게 해놔서 십 년 넘어가니까 월포 사람들이 물 안줘부렀제.

Q. 불섬은 물이 없나요?
A. 불섬 물질이 여간 사나와. 동네로 지고 댕기고 그랬제.
인제는 수도 놔부러서. 그 뒤로 거기서 얼음 공장도 하고.
이철이가 좋은 일 많이 했제.

Q. 그런데 언제부터 그렇게 폐허가 됐어요?
A. 그 사람이 돌아가셨어. 돌아가시고 난께 그 다음에 동생이
쪼끔 하다가 또 돌아가셔부렀제. 그랑께 이제 폐허 되어부렀제.

젓갈 창고

Q. 그 건물 바로 옆에 암석을 깨서 만든 동굴 같은 저장고가
하나 있던데요?
A. 응 있이, 기기다 짓길 같은 거 넣어 노믄 맛이 좋네. 그때는 냉장소
없는 시절이라. 새우젓이나 김장. 그 동네 사람들은 김장도 거가 갖다
넣어놨어. 거 공장이 폐허되분께 인제 주민들이 쓴 거제. 지금은 안하제
자기집들도 다 냉장고 있는디.

젓갈 창고 입구에서 발견된 화학약품 통들

젓갈 창고 입구에서 발견된 젓갈이 담긴 통

적외선 촬영으로 바라본 젓갈 창고 내부

자산어보 촬영지

동물섬 삼총사(석황도, 흑도, 소흑도)가 가장 잘 보이는 도초도 북서쪽 해안 절벽 꼭대기에는 멀리서도 눈에 띄는 초가집이 있다. 2021년 개봉한 이준익 감독의 영화 '자산어보' 세트장 중 하나인데, 극 중에서 가거댁(이정은 분)의 집으로 나오는 곳이다. 자산어보는 섬으로 유배를 떠난 정약전의 일대기를 다룬 영화다. 영화는 유배지였던 흑산도를 배경으로 하고 있으나 실제 이 장면들은 도초도 발매리에서 촬영되었다.

해시(海市)

세창출판사에서 발간한 책『유배인의 섬 생활[5]』을 보면 바다 위의 신기루라 부르는 '해시(海市)'에 대한 당대 사람들의 인식을 엿볼 수 있다. 섬사람들은 계절이 바뀌는 시기 먼바다에서 누각이나 초목 형상이 나타났다 사라지는 것을 보았다. 신안군 임자도로 유배를 떠난 조희룡은 이를 '해시'라 기록했다. 조희룡의 기록에 이러한 섬 주민들의 환영 경험이 남아있는 것은 이를 단순한 거짓말이나 말장난으로 여기지 않았기 때문이며, 그와 섬 주민 사이에 쌓인 신뢰를 증명하는 것이기도 하다.

해도진인설(海島眞人說)

한국역사연구회에서 설명하는 '해도진인설(海島眞人說)[4]'에는 육지의 관점에서 바라본 섬에 대한 경멸과 환상이 공존한다. 조선 후기 섬은 멀고 도달하기 힘든, 죄를 짓고 도망하거나 주인을 피해 온 사람들과 유배되어 온 반역 죄인들이 모여있는 불온한 땅이었다. 동시에 섬은 민중들에게는 하나의 도피처, 먹을 것도 풍족하고 수탈로부터도 자유로운 이상사회였다. 그리고 어디서든 들을 수 있는 아기장수 설화처럼 이런 섬에서 어떤 영웅이 나타나 현세의 어려움을 구원해 줄 것이라 생각했다. 이러한 믿음의 바탕에는 섬의 지정학적 위치에 토대를 둔 육지 현실에 대한 비판이 자리 잡고 있다.

파타모르가나(Fata Morgana)

파타모르가나는 우리가 흔히 신기루라 부르는 착시의 일종이다. 과학자들은 바다 표면에 찬 공기가 모이면서 더운 공기를 위로 밀어 올릴 때 공기 밀도의 차이로 인해 발생한다고 설명한다. 찬 공기와 더운 공기 사이의 공기층이 굴절 렌즈 역할을 해서 멀리 있는 물체를 실제 위치보다 더 위쪽에 보이게 하는 현상이다. 그래서 우리는 공중 부양한 선박이나 도시와 같은 것들을 본다고 착각한다.

파타모르가나는 이탈리아어로 요정 모르가나라는 뜻이다. 전설에 따르면 모르가나는 마법을 통해 공중에 떠 있는 성이나 가짜 육지를 만들어 선원들을 유혹하고 죽음으로 이끌었다고 한다. 메시나 해협(Strait of Messina)에서는 종종 탑, 배, 궁전 심지어는 도시가 나타나기도 했다. 물론 거기에는 어떠한 도시나 배, 건물이 존재하지 않았다. 사람들은 이러한 현상을 요정 모르가나가 마법을 부린 것으로 생각했다.

4) 한국역사연구회, "[남도사람들] 유토피아와 해도진인설(海島眞人說)", https://history.zesmu.com/archive/view/3442, 2024. 11. 19. 접속.
5) 최성환, 『유배인의 섬 생활』, 세창출판사, 2020

농간암

도초도 시목 해수욕장 바로 앞에는 농간암이라는 바위가 있는데 날씨가 흐리면 바위가 움직이는 것과 같은 착각을 일으키게 하여 문자 그대로 사람을 농간하는 신기한 현상을 볼 수가 있다. 밭매리 노인정에서 만난 한 주민은 평소에 보이던 먼바다의 섬이 아주 또렷하고 가까이 있는 것처럼 보일 때가 있는데, 이는 곧 비가 올 것이라는 징후로 옛사람들은 여겼다고 말했다.

우에노 동물원

도쿄 우에노 동물원(Ueno Zoo) 직원들은 매년 동물 탈주에 대비한 훈련을 실시하고 있다. 직원 중 한 명이 침팬지, 얼룩말 같은 귀여운 동물의 탈을 쓰고 탈출한 동물 올 연기하고, 나머지 직원들은 이에 대비한 훈련을 진행한다. 가짜 동물을 상대로 생포 훈련을 하는 모습은 매우 우스꽝스럽게 보인다. 이 훈련에는 '지진으로 동물원 우리가 파괴되어 도망쳐 나옴', '탈출한 동물이 한 사육사를 심장마비에 이르게 하고 다른 한 명은 다치게 함'과 같은 구체적인 시나리오가 존재한다. 호기심 많은 방문객은 이 광경을 하나의 행사처럼 지켜보며 계속해서 사진을 찍는다. 당시 얼룩말을 연기했던 직원은 기자들에게 연기를 하면서 실제로 탈출한 동물의 당황함을 느낄 수 있었다고 전했다.

얼룩말 세로

이것은 얼룩말 탈출 사건과 관련된 기사의 헤드라인이다.

<얼룩말 '세로'의 슬픈 탈주극>, 2023.03.26, 경향신문
<"탈출 얼룩말 '세로'의 꿈 이뤄주자"… AI이미지 하루 만에 1천250건>, 2023.03.27, KtN
<"얼룩말 세로, 생포 뒤 이틀은 삐져있었다" 사육사가 전한 근황>, 2023.03.28, 조선일보
<세로가 조실부모 후 반항?..숨겨진 진짜 탈출 이유>, 2023.03.28, 이데일리
<"얼룩말 세로 캥거루에 두들겨 맞았다"…이것 때문에 탈출했나>, 2023.03.28, 매일경제
<"네가 그 세로구나"…서울동물원 '스타'된 탈출 얼룩말>, 2023.03.31, 연합뉴스
<"탈출 얼룩말 '세로' 덕에 살맛나요"…대공원 상인들 '활짝'>, 2023.04.05, 라이프
<얼룩말 세로, 드디어 솔로 탈출…"이젠 집 안 나가겠지?">, 2023.05.17, SBS
<'도심 탈출 소동' 얼룩말 세로 여자친구 코코 돌연 숨져>, 2023.10.24, 뉴시스

최근 50년 사이 한국의 동물원에서 발생한 몇 건의 탈주 사건은 '동물' 그리고 '탈주'에 관한 사람들의 관점 변화를 보여준다. '코미디쇼'는 '형사사건'을 거쳐 '사회문제'가 되었고, '수갑을 찬 탈주범'은 '종명'을 거쳐 '세로'라는 이름을 부여받았다. 사람들은 이러한 사건을 단순 해프닝으로 치부하지 않고 동물에 감정을 이입해 탈주 동기를 유추하기에 이르렀다.

이동하는 장소에 관한 질문

장소는 물리적 터전임과 동시에 세월의 흐름에 따라 축적된 정신적 기반으로 장소(성)는 육신과 혼이 결합된 한 명의 인물로 강생될 수도 있을 것이다. 그렇다면 '장소의 정령은 어디에 깃들어 있는가?'. 물리적 혹은 개념적 '부동산(immobile)'이 '동산(mobile)'이 되어버린 아이러니한 장소들에 주목해 보자. 이렇게 이동하는 장소들을 세 유형으로 분류해 보면, 첫 번째는 건물이나 땅 자체를 인위적으로 들어 올려 이동시키거나 지진과 같은 자연재해로 인해 땅이 움직여 물리적으로 이동하는 것, 두 번째는 실존하는 곳의 외형을 그대로 혹은 스케일을 바꾸어 어딘가에 복제하는 것, 세 번째는 미지의 세계를 상상과 리서치를 통해 실제로 구현하는 것이다. 장소와 장소의 정령이 서로 붙어있는 상태가 아니라면, 즉 영혼이 신체로부터 분리되거나 이동할 수 있는 접신의 상태가 가능하다면, 장소에서 그것은 어떤 상태로 포착할 수 있을까?

애프터랜드
AFTER LAND

초판   1쇄 발행 2024년 12월 20일

저자   임보람 고영찬

펴낸곳   플랜비북스
등록일   2019년 3월 13일
등록번호   제2019-000024호
주소   서울시 서대문구 가좌로 108-8번지
전화   02-308-1088

펴낸이   임보람
기획 · 편집   임보람
디자인   스튜디오 오블리크
사진 촬영   고영찬, 임보람
문헌 도판 제공 일본 국립 디지털 아카이브, 국가기록원

ISBN   979-11-967820-2-3 03600
값 20,000원

2024년 예술창작활동지원사업 선정 프로젝트
주최 · 주관   임보람

후원